champignons

Photographe culinaire: Pierre Beauchemin
Styliste culinaire: Myriam Pelletier
Styliste accessoiriste: Luce Meunier
Révision: Monique Richard
Correction: Ginette Patenaude
Infographie: Chantal Landry et Luisa da Silva

Remerciements à Hector Larivée pour les légumes et à la poissonnerie
La Mer pour les poissons et les crustacés.

Catalogage avant publication de Bibliothèque et Archives nationales du Québec et
Bibliothèque et Archives Canada

Grappe, Jean-Paul

Champignons

(Tout un plat!)

1. Cuisine (Champignons). I. Titre. II. Collection.

TX804.G72 2007   641.6'58   C2007-941403-6

Pour en savoir davantage sur nos publications,
visitez notre site: www.edhomme.com
Autres sites à visiter: www.edjour.com
www.edtypo.com • www.edvlb.com
www.edhexagone.com • www.edutilis.com

08-07

© 2007, Les Éditions de l'Homme,
une division du Groupe Sogides inc.,
filiale du Groupe Livre Quebecor Média inc.
(Montréal, Québec)

Tous droits réservés

Dépôt légal: 2007
Bibliothèque et Archives nationales du Québec

ISBN 978-2-7619-2346-8

DISTRIBUTEURS EXCLUSIFS:

• Pour le Canada et les États-Unis:
MESSAGERIES ADP*
2315, rue de la Province
Longueuil, Québec J4G 1G4
Tél.: 450 640-1237
Télécopieur: 450 674-6237
* une division du Groupe Sogides inc.,
  filiale du Groupe Livre Quebecor Média inc.

• Pour la France et les autres pays:
INTERFORUM editis
Immeuble Paryseine, 3, Allée de la Seine
94854 Ivry CEDEX
Tél.: 33 (0) 4 49 59 11 56/91
Télécopieur: 33 (0) 1 49 59 11 33
Service commandes France Métropolitaine
Tél.: 33 (0) 2 38 32 71 00
Télécopieur: 33 (0) 2 38 32 71 28
Internet: www.interforum.fr
Service commandes Export – DOM-TOM
Télécopieur: 33 (0) 2 38 32 78 86
Internet: www.interforum.fr
Courriel: cdes-export@interforum.fr

• Pour la Suisse:
INTERFORUM editis SUISSE
Case postale 69 – CH 1701 Fribourg – Suisse
Tél.: 41 (0) 26 460 80 60
Télécopieur: 41 (0) 26 460 80 68
Internet: www.interforumsuisse.ch
Courriel: office@interforumsuisse.ch
Distributeur: OLF S.A.
ZI. 3, Corminboeuf
Case postale 1061 – CH 1701 Fribourg – Suisse
Commandes: Tél.: 41 (0) 26 467 53 33
               Télécopieur: 41 (0) 26 467 54 66
               Internet: www.olf.ch
               Courriel: information@olf.ch

• Pour la Belgique et le Luxembourg:
INTERFORUM editis BENELUX S.A.
Boulevard de l'Europe 117,
B-1301 Wavre – Belgique
Tél.: 32 (0) 10 42 03 20
Télécopieur: 32 (0) 10 41 20 24
Internet: www.interforum.be
Courriel: info@interforum.be

Gouvernement du Québec – Programme de crédit d'impôt pour
l'édition de livres – Gestion SODEC – www.sodec.gouv.qc.ca

L'Éditeur bénéficie du soutien de la Société de développement des
entreprises culturelles du Québec pour son programme d'édition.

Nous reconnaissons l'aide financière du gouvernement du Canada par
l'entremise du Programme d'aide au développement de l'industrie de
l'édition (PADIÉ) pour nos activités d'édition.

tout un plat !

champignons

Jean-Paul Grappe

LES ÉDITIONS DE
L'HOMME

L'équipe, de gauche à droite :
Luce Meunier, styliste accessoiriste ;
Jean-Paul Grappe, chef de cuisine ;
Myriam Pelletier, styliste culinaire ;
Pierre Beauchemin, photographe culinaire à l'ITHQ.

LES CHAMPIGNONS DE CUEILLETTE

Les spécialistes de la mycologie ont recensé une douzaine d'espèces de champignons succulentes, dont la truffe, la magnifique amanite des Césars ou oronge vraie, la morille conique, le bolet comestible, le coprin chevelu et la chanterelle ; une quarantaine d'espèces excellentes ; une cinquantaine d'espèces agréables ; sans compter quelques lycoperdons bien frais et tous les autres champignons « assez bons » qui peuvent servir à compléter une récolte insuffisante. Il existe sous nos latitudes environ trois mille espèces de champignons et il suffit de connaître la vingtaine d'espèces toxiques qui existent pour être à l'abri des empoisonnements. Il est donc regrettable que l'ignorance et l'imprudence de certains amateurs provoquent chaque année des accidents graves.

Le Québec est un paradis pour les cueilleurs de champignons sauvages, et beaucoup de spécialistes et d'associations de mycologues amateurs peuvent vous aider à mieux connaître les espèces que nous retrouvons dans nos forêts, nos pâturages et nos gazons. Dans ce livre, on traitera des champignons du Québec mais aussi d'Europe.

Cela dit, vous avez entre les mains un livre de recettes de cuisine, et non pas un manuel de mycologie. J'espère qu'il vous fera vivre de belles aventures culinaires.

LES CHAMPIGNONS CULTIVÉS

Les étals de nos marchés nous proposent de plus en plus de familles de champignons : champignons de couche ou de Paris, agaric champêtre pleurotes, pleurotes du panicaut, shiitakes, pieds-bleus, collybies à pied velouté (Asie), volvaires (Asie), strophaine rouge vin, énoqués (take), portobello, hydne sinué (pied-de-mouton).

Cultiver des champignons n'est pas simple. Voyons comment se cultivent les champignons de Paris. Il faut de quarante-huit à cinquante jours pour produire du compost, six jours pour la pasteurisation et la préparation, quatorze jours pour l'incubation, quatorze jours pour l'éclosion et la pousse.

Compost : Il est composé de deux tiers de fumier de cheval et d'un tiers de paille de blé et de fumier de poulet. On y ajoute du gypse pour en améliorer la texture. Ce mélange est travaillé chaque jour pendant deux semaines et on l'arrose au besoin.

Pasteurisation : Le compost est transporté par convoyeur dans des chambres qui peuvent en contenir cinquante tonnes chacune. Là, il est pasteurisé pendant huit heures, à 57 °C, par injection de vapeur. Puis il repose dans cette chambre pendant cinq jours, ce qui permet à l'ammoniaque de se transformer en protéines et aux sous-produits de carbone et de sucre d'être éliminés. Par la suite, les microbes qui auront consommé ces sucres et ces composés carbonés serviront de nourriture aux champignons.

Incubation : La pasteurisation terminée, le compost est transporté dans un autre tunnel par convoyeur et l'on y ajoute le mycélium (six litres par tonne). L'incubation dure quatorze jours à une température de 25 °C.

Mycélium : Ce sont les spores (ou blanc de champignon) de culture microbiologique gardées sur des plaques d'agar-agar.

Culture (pousse de champignons) : Après l'incubation, une épaisseur de douze à quinze centimètres de compost est mise en chambre de production, à une température ambiante de 18 °C et à 85 % d'humidité (par air filtré).

Récolte : Après quatre récoltes (une semaine), on débarrasse la chambre de tout le compost, qu'on réchauffe à 60 °C pendant douze heures pour tuer tous les microbes, puis on recommence l'opération pour un nouveau cycle de production.

UTILISATION DU THERMOMÈTRE DANS LA CUISINE MODERNE

Lorsque j'ai commencé dans le métier, il y a cinquante ans, mon chef nous apprenait les degrés de cuisson d'une viande ou d'un poisson «au toucher». Il était impossible d'être précis, car, suivant la qualité de la viande et de son vieillissement, il pouvait y avoir de grands écarts de cuisson. Aujourd'hui, le thermomètre est indispensable pour contrôler la température d'une viande ou d'un poisson ou pour connaître la température réelle de votre four. Pour ma part, j'indique rarement des temps de cuisson.

Pour mieux comprendre l'utilité d'un thermomètre, il suffit de savoir que la peur de la salmonellose tourmentait nos parents et nos grands-parents; aussi cuisaient-ils exagérément le poulet pour tuer les bactéries nocives. Ils agissaient pareillement avec le porc et le bœuf, pour détruire les œufs de ténia, ou ver solitaire.

Avaient-ils raison? Dans une certaine mesure, oui! L'hygiène des poulaillers, des porcheries et des étables n'était pas la principale préoccupation des éleveurs au siècle dernier mais, de nos jours, nous savons contrôler les parasites et les bactéries.

Le Dr Pierre Gélinas, dans son *Répertoire des microorganismes pathogènes transmis par les aliments,* nous indique les étapes à suivre pour que l'art culinaire soit à la fois festif et sécuritaire. Vous constaterez que nous n'avons plus besoin de cuire à outrance un rôti de porc, une volaille ou une pièce de bœuf. De ce fait, les aliments sont plus savoureux.

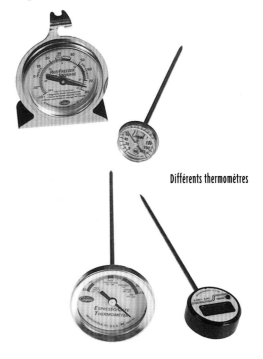

Différents thermomètres

LA CUISSON À JUSTE TEMPÉRATURE

Aliment	Température de cuisson	Température à cœur de l'aliment	Effets
Bœuf	Haute température : 70 à 120 °C (158 à 248 °F)	50 °C (122 °F) 52 °C (125 °F)	• Contraction des collagènes • Destruction des formes végétatives de bactéries
Veau	Basse température : 54 à 68 °C (129 à 154 °F)	54 °C (129 °F)	• Cuisson saignante des viandes rouges
Porc	Suivant le choix de la cuisson, la température sera plus ou moins élevée	55 °C (131 °F) 56 °C (133 °F) 58 °C (136 °F) 62 °C (144 °F) 66 °C (151 °F) 68 °C (154 °F) 79 °C (174 °F)	• Hydrolyse des collagènes • Cuisson rosée des viandes blanches et rouges • Cuisson à point • Passage du saignant au cuit (dénaturation de l'albumine) • Couleur irréversible, dénaturation de la myoglobine, coagulation des collagènes • Perte du pouvoir de rétention d'eau • Coagulation de l'essentiel des protéines
Volaille à chair blanche	72 °C (162 °F)	66 °C (151 °F)	
Agneau	78 °C (172 °F)	48 °C (118 °F)	
Poisson	80 °C (176 °F)	52 °C (126 °F)	

PRÊTEZ ATTENTION AUX BACTÉRIES ET AUX PARASITES

Microorganisme pathogène ou parasite	Aliments dans lesquels on peut les trouver	Température de cuisson qui les neutralise
Salmonelle	Œufs, produits laitiers non pasteurisés, fromages au lait cru, produits marins crus (surtout les huîtres, les moules, les palourdes), viandes (surtout les volailles, mais aussi le porc), fruits et légumes lavés avec de l'eau contaminée.	
La salmonelle ne résiste pas à une cuisson à 66 °C (150 °F) durant 12 minutes.		
TÉNIA *Tænia saginata* (bœuf) *Tænia solium* (porc)	Porc ou bœuf cru ou insuffisamment cuit. Le ténia (ver) est un parasite de ces animaux.	La pasteurisation et la congélation détruisent les larves de ces parasites.
Il est préférable de faire congeler le bœuf avant de le servir en tartare.		

- Conservez les aliments au réfrigérateur, entre 0 et 4 °C.
- Ne laissez jamais des denrées longtemps dans une auto ou sur le comptoir de la cuisine, car la salmonelle se développe entre 5 et 12 °C.
- Prenez garde à la cuisson au four à micro-ondes, à certaines salaisons et aux aliments fumés.
- Pour éviter le botulisme, ne conservez jamais de l'ail dans l'huile et consommez immédiatement les conserves de champignons, de maïs et de haricots.
- Si vous prenez toutes les précautions nécessaires pour la cuisson et la conservation des aliments, vous découvrirez une autre façon de cuisiner.

CRÈMES, POTAGES ET VELOUTÉS

Crème de morilles

- Vingt-quatre heures avant la confection de la recette, faire tremper les champignons dans 1,5 litre (6 tasses) d'eau tiède. Couvrir et laisser à la température ambiante.

- Remuer délicatement les champignons : s'il reste quelques grains de sable ou de terre, ils tomberont au fond du récipient. Laisser reposer quelques minutes puis bien presser les champignons afin d'extraire le maximum de liquide. S'ils sont petits, les laisser entiers ; s'ils sont gros, les couper en quatre sur la longueur.

- Verser le jus de trempage dans une casserole en prenant bien soin de ne pas verser le fond où il pourrait y avoir quelques impuretés. Amener à ébullition et réduire de moitié.

- Parallèlement, réduire la crème de moitié.

- Dans une casserole, faire fondre le beurre, ajouter les morilles, les échalotes et faire revenir 5 min. Ajouter le porto, poursuivre la cuisson 6 à 7 min afin de faire évaporer l'alcool. Réserver.

- Cinq minutes avant de servir, verser la crème réduite dans le jus de morille et porter à ébullition.

- Délayer l'amidon de riz dans un peu d'eau froide puis en verser une petite quantité et porter à ébullition. Répéter l'opération jusqu'à consistance désirée.

- Verser sur les champignons. Saler, poivrer et servir immédiatement dans des assiettes creuses très chaudes.

- On peut garnir avec des petits croûtons sautés au beurre.

- 45 g (1 ½ oz) de morilles coniques déshydratées, sans les pieds
- 625 ml (2 ½ tasses) de crème 35 %
- 80 g (⅓ tasse) de beurre non salé
- 90 g (½ tasse) d'échalotes, hachées finement
- 175 ml (¾ tasse) de porto blanc ou de madère
- 80 g (⅓ tasse) d'amidon de riz ou de pommes de terre
- Sel et poivre blanc moulu

ACHATS

Vous réussirez mieux cette recette en utilisant des champignons déshydratés : morilles, cèpes, chanterelles, russules. C'est la morille qui vous donnera les meilleures saveurs. La condition la plus importante est de conserver le jus de trempage. Si vous utilisez des champignons frais, la concentration des saveurs se fera dans le champignon.

Potage aux champignons de couche

4 portions · Difficulté : 2 · Préparation : 15 min · Cuisson : 30 min

*Le champignon de couche, appelé aussi «champignon de Paris», est celui que l'on retrouve le plus couramment sur les étals de nos épiceries. Son parallèle à l'état sauvage est l'*Agaricus Bisporus *et l'agaric des jachères* (Agaricus Arvensis).

• Dans une grande casserole, faire fondre le beurre, étuver les échalotes, le blanc de poireau et ajouter les champignons. Laisser mijoter quelques minutes afin d'extraire le liquide des champignons.

• Verser le fond blanc de volaille, cuire 10 min et ajouter les pommes de terre. Saler, poivrer, ajouter le laurier et poursuivre la cuisson 15 min.

• À l'aide d'un mélangeur, broyer l'ensemble du potage, passer à la passoire à mailles et ajouter la crème chaude.

• Conserver au chaud et rectifier l'assaisonnement. Au moment de servir, ajouter la ciboulette. Servir dans des assiettes creuses.

• Si on veut bonifier la qualité, ajouter de tous petits dés de champignons blanchis.

- 80 g (⅓ tasse) de beurre non salé
- 3 échalotes sèches, émincées
- 1 blanc de poireau, émincé
- 400 g (14 oz) de champignons de couche très fermes, en gros dés
- 625 ml (2 ½ tasses) de fond blanc de volaille, de bœuf ou l'équivalent du commerce (voir p. 112)
- 315 g (1 ¼ tasse) de pommes de terre, en petits dés
- ¼ de feuille de laurier
- 160 ml (⅔ tasse) de crème 35 %
- 60 g (1 ⅓ tasse) de ciboulette, ciselée
- 150 g (5 oz) de chapeaux de champignons, blanchis et coupés en tout petits dés

---

ACHATS

Lorsque vous achetez des champignons en épicerie, la qualité première est qu'ils soient très fermes, même durs. Lorsqu'ils sont mous, leur jus à la cuisson sera noir et les champignons auront perdu beaucoup de leur saveur.

ÉQUIVALENTS CHAMPIGNONS

Cèpes
Pieds de morilles
Chanterelles en tubes
Russules verdoyantes
Petits pleurotes

INGRÉDIENTS

- 400 g (14 g) de mousserons d'automne ou autres champignons
- 1 cube de bouillon de poulet ou de bœuf du commerce
- Sel et poivre blanc
- Roux blanc cuit (voir p. 114)
- 250 ml (1 tasse) de crème 35 %, réduite de 50 %
- 2 jaunes d'œufs
- 90 g (3 tasses) de petits croûtons, en dés

PRÉPARATION

Velouté : La différence entre un velouté et un potage est l'élément de liaison. Un potage est en général lié avec un féculent, souvent des pommes de terre ou du riz, tandis que le velouté, dont l'élément de base est une essence de légumes ou un autre liquide, est lié avec un roux blanc cuit, terminé avec de la crème et lié aux jaunes d'œufs.

- Tout d'abord s'assurer que l'on possède du roux blanc au réfrigérateur.
- Bien laver les champignons, réserver les chapeaux pour la garniture[1].
- Mettre les pieds de champignons dans une marmite, couvrir avec de l'eau, ajouter le cube de bouillon de poulet et laisser cuire 30 min.
- Pendant ce temps, couper les chapeaux de champignons en tous petits dés et les cuire dans l'eau 2 min, égoutter, saler et poivrer. Réserver.
- Passer l'essence des champignons à la passoire à mailles, puis réduire de moitié. Ajouter 2 à 3 c. à soupe de roux blanc froid, laisser bouillir et répéter l'opération jusqu'à consistance désirée.
- Mélanger la crème réduite avec les jaunes d'œufs, ajouter au velouté en fouettant vigoureusement et rectifier l'assaisonnement. Conserver au chaud.
- Avant de passer à table, ajouter les dés de champignons et servir très chaud avec des petits croûtons.

ÉQUIVALENTS CHAMPIGNONS

Champignons de couche
Clitocybes chaudron
Agarics des serres
Collybies en touffe
Chanterelles jaunissantes
Cèpes
Pleurotes des saules
Polypores
Hygrophores

CONSEIL

(1) De préférence, garder les chapeaux pour la garniture et les pieds pour faire l'essence des champignons.

Crème de volaille glacée, pailleté aux cèpes

- 240 g (8 oz) de cèpes déshydratés
- 125 ml (½ tasse) de crème 35 %
- 55 g (¼ tasse) de sucre
- 750 ml (3 tasses) de fond de volaille en gelée*
- Sel et poivre blanc moulu
- 15 g (½ tasse) de pluches de cerfeuil

* Bouillon ou fond de volaille qui a été très réduit afin qu'il prenne en gelée une fois refroidi.

Cette recette exige une préparation 24 h avant d'être servie afin de confectionner le pailleté de cèpes.

- Réhydrater 180 g (6 oz) de champignons dans 500 ml (2 tasses) d'eau pendant 12 h. Amener à ébullition et réduire le jus de moitié en laissant les champignons. Passer à la passoire à mailles et laisser refroidir.

- À l'aide d'un moulin à café, réduire en poudre les 60 g (2 oz) de champignons qui restent. Ajouter la crème et le sucre. Verser sur une plaque allant au congélateur et faire congeler.

- À l'aide d'un fouet, détendre avec un peu d'eau la gelée de fond de volaille afin qu'il soit fluide et froid. Saler et poivrer. Ajouter les pluches de cerfeuil.

- Verser dans des assiettes creuses glacées. À l'aide d'une cuillère, gratter le pailleté de cèpes et disposer sur le fond de volaille. Servir immédiatement.

ÉQUIVALENTS CHAMPIGNONS
Morilles
Chanterelles
Shiitakes
Polypore de brebis
Tricholomes de la Saint-Georges
Hygrophores à odeur agréable
Champignons de couche

CHARCUTERIE, ENTRÉES CHAUDES ET FROIDES

Croque-monsieur comme à Chamonix

4 portions · Difficulté : 2 · Préparation : 25 min · Cuisson : 10 min

- Badigeonner très légèrement d'huile les tranches de champignons, chauffer une poêle à fond cannelé et les cuire à feu modéré. Saler, poivrer et conserver au chaud.

- Verser le vin blanc dans un récipient creux.

- Beurrer généreusement chaque tranche de pain d'un côté, puis tremper l'autre côté dans le vin blanc.

- Disposer les tranches côté beurré au fond d'un plat en faïence ou en pyrex et mettre au four à 180 °C (350 °F). La chaleur fera en sorte que la tranche côté beurré, commencera à devenir croustillante. À cette étape, garnir de portobellos chaque tranche de pain, ajouter le jambon et couvrir largement de fromage.

- Parsemer de poivre fraîchement moulu. Remettre au four à 150 °C (300 °F). Lorsque le fromage sera fondu, servir les croque-monsieur dans des assiettes chaudes.

- De petites pommes de terre cuites à l'eau salée pourront accompagner les croque-monsieur.

PRÉPARATION

- 4 chapeaux de champignons portobellos, essuyés, pelés et coupés en tranches de 1,25 cm (½ po) d'épaisseur
- 2 c. à soupe d'huile d'olive
- Sel et poivre du moulin
- 175 ml (¾ tasse) de vin blanc sec
- 160 g (⅔ tasse) de beurre non salé, à la température ambiante
- 4 tranches de baguette de 2,5 cm (1 po)
- 4 petites tranches de jambon
- 4 tranches de 6 mm (¼ po) d'épaisseur de gruyère ou d'emmenthal

ÉQUIVALENTS CHAMPIGNONS

Très gros champignons de couche
Gros chapeaux de cèpes
Vesses-de-loup
Gros chapeaux d'agarics
Portobellos

INFORMATION

Ce croque-monsieur est une spécialité de la ville de Chamonix, située dans les Alpes françaises.

- 250 g (1 2/3 tasse) de farine à pâtisserie
- 3 œufs
- 2 c. à soupe d'huile
- Une petite pincée de sel
- 500 ml (2 tasses) de lait
- Poudre de champignons
- 400 g (14 oz) de chanterelles
- Roux blanc (voir p. 114)
- Sel et poivre du moulin
- 160 ml (2/3 tasse) de crème 35 %
- 180 g (3/4 tasse) de beurre non salé
- Ciboulette, ciselée
- 160 g (1 1/3 tasse) de chapelure fraîche

ÉQUIVALENTS
CHAMPIGNONS
Pleurotes
Trompettes-de-la-mort
Champignons de couche
Vesses-de-loup
Portobellos
Pleurotes Agarics
Russules
Bolets
Pieds-de-mouton

Crêpes farcies aux chanterelles

PÂTE À CRÊPES

- Mettre la farine dans un récipient creux, faire un puits au centre, ajouter les œufs entiers, l'huile, le sel et un peu de lait. Travailler énergiquement la pâte avec une cuillère en bois pour la rendre légère. Mouiller progressivement avec le lait, jusqu'à ce que la pâte fasse en coulant, un ruban. Saupoudrer avec la poudre de champignons. Laisser reposer 1 h.

SAUCE AUX CHAMPIGNONS

- Cuire les chanterelles dans 500 ml (2 tasses) d'eau légèrement salée pendant 15 min, retirer les chanterelles à l'aide d'une écumoire.

- Avec du roux blanc, lier l'eau de cuisson des champignons jusqu'à consistance épaisse. Saler et poivrer, ajouter la crème chaude et réserver.

- Émincer les chanterelles, chauffer 60 g (¼ tasse) de beurre et étuver les chanterelles 10 min. Saler, poivrer et ajouter la ciboulette. Partager la sauce en deux. Dans la première partie, ajouter les champignons, conserver l'autre partie au chaud.

- Cuire les crêpes fines.

- Trente minutes avant de servir, farcir les crêpes avec la sauce aux champignons, beurrer à l'aide d'un pinceau chaque plat en faïence individuel.

- Disposer les crêpes, napper avec la sauce restante et parsemer la chapelure fraîche mélangée avec de la poudre de champignons. Parsemer quelques petites noix de beurre et mettre au four. Servir très chaud.

Fonds d'artichaut farcis à la duxelles
de champignons, fond de veau au madère

4 portions · Difficulté : 3 · Préparation : 35 min · Cuisson : 35 min

• Cuire les artichauts dans suffisamment d'eau salée pour les couvrir. Lorsqu'ils sont bien cuits, les feuilles se détachent facilement et la partie charnue de la feuille est tendre. Les rafraîchir ensuite sous l'eau froide et bien les presser afin d'enlever le maximum d'eau. Enlever les feuilles et le foin et réserver les fonds d'artichauts. Vous pourrez déguster plus tard le bas des feuilles avec une vinaigrette émulsionnée.

DUXELLES

• À l'aide d'un robot de cuisine, hacher les champignons.

• Dans un sautoir, chauffer le beurre et faire fondre les échalotes, l'ail, l'origan et le laurier. Ajouter les champignons et cuire jusqu'à complète évaporation des liquides. Saler et poivrer. Laisser tiédir et incorporer les jaunes d'œufs battus. Farcir généreusement les fonds d'artichauts puis les disposer dans un plat allant au four.

• Chauffer le fond de veau et ajouter le madère. Rectifier l'assaisonnement.

• Au moment de servir, verser un filet de sauce autour des fonds d'artichauts et garnir d'estragon.

- 4 gros artichauts frais
- 400 g (14 oz) de champignons de couche ou autres, lavés ou pelés
- 80 g (⅓ tasse) de beurre non salé
- 60 g (⅓ tasse) d'échalotes, hachées finement
- 1 gousse d'ail, hachée finement
- 5 g (¼ tasse) d'origan séché
- ¼ de feuille de laurier
- Sel et poivre du moulin
- 2 jaunes d'œufs
- 175 ml (¾ tasse) de fond brun de veau, réduit
- 80 ml (⅓ tasse) de madère
- 25 g (¾ tasse) d'estragon, haché finement

ÉQUIVALENTS CHAMPIGNONS

Cèpes
Dermatoses des russules
Armillaires ventrus
Clitocybes ombonés
Tricholomes équestres
Pleurote
Portobellos
Champignons de couche

ACHATS

Il est impératif de choisir des champignons très fermes, ce qui est un gage de fraîcheur.

- 8 gros œufs
- 40 chapeaux de champignons de couche, pelés
- 750 ml (3 tasses) de vin rouge tannique
- 300 g (10 oz) de lard entrelardé fumé, en bâtonnets de 0,5 x 2 cm (¼ x ¾ po)
- 300 g (10 oz) de petits oignons de semence cipollinis, pelés
- Sel et poivre
- 3 c. à soupe de beurre non salé
- 90 g (½ tasse) d'échalotes, hachées finement
- 310 ml (1 ¼ tasse) de fond brun de veau, lié
- 2 tranches de pain
- 2 gousses d'ail
- 2 c. à soupe de vinaigre

Œufs en meurette

PRÉPARATION

- Cuire les champignons dans le vin rouge.
- Blanchir le lard et ajouter au mélange.
- Mettre les petits oignons dans un sautoir, saler, poivrer, ajouter le beurre et cuire doucement à couvert. Lorsque les trois éléments sont cuits, à l'aide d'une écumoire, les rassembler dans une poêle et les faire sauter jusqu'à ce qu'ils prennent une légère coloration. Réserver.
- Faire réduire le vin rouge avec les échalotes jusqu'à 90% de réduction, ajouter le fond brun de veau lié. Rectifier l'assaisonnement, incorporer la garniture et réserver.
- Faire griller les tranches de pain. Couper en deux de biais et arrondir un bord, frotter avec l'ail. Conserver au chaud.
- Dans un sautoir rempli d'eau, ajouter le vinaigre et porter à ébullition. Casser séparément les œufs dans des ramequins ou des tasses et verser délicatement dans l'eau. Après 2 min, retourner les œufs et cuire de nouveau 2 min. Égoutter et mettre dans la sauce très chaude. Laisser mijoter 1 ou 2 min et servir immédiatement garni avec les croûtons.

ÉQUIVALENTS CHAMPIGNONS

Champignons de couche boutons
Mousserons de la Saint-Georges
Pieds bleus
Marasmes des oréades
Bolets granulés
Vesses-de-loup
Tricholomes équestres
Portobellos

Vol-au-vent aux champignons

4 portions · Difficulté : 2 · Préparation : 30 min · Cuisson : 20 min

PRÉPARATION

- Si on utilise les champignons déshydratés, on doit les faire tremper dans l'eau pendant 12 h. Le jus de trempage servira pour la sauce.
- Si les champignons sont frais, on doit les faire bouillir. Le jus de cuisson servira aussi pour faire la sauce.
- Couper les champignons en dés.
- Dans un sautoir, chauffer le beurre, faire fondre les échalotes et ajouter les champignons. Saler et poivrer et étuver pendant une vingtaine de minutes.
- Réduire le jus de trempage de 90 % et ajouter le fond blanc de volaille. Faire bouillir et lier au roux blanc, ajouter la crème réduite et passer à la passoire à mailles. Rectifier l'assaisonnement.
- Ajouter les champignons, les olives et le jambon. Laisser mijoter quelques minutes.
- Chauffer les vol-au-vent au four environ 10 min à 180 °C (350 °F).
- Disposer les vol-au-vent au centre des assiettes et les farcir avec la garniture.

INGRÉDIENTS

- 400 g (14 oz) de champignons frais ou 125 g (1 ¼ tasse) de champignons déshydratés (4 variétés)
- 80 g (⅓ tasse) de beurre non salé
- 90 g (½ tasse) d'échalotes, hachées finement
- Sel et poivre du moulin
- 310 ml (1 ¼ tasse) de fond blanc de volaille (voir p. 112)
- Roux blanc (voir p. 114)
- 410 ml (1 ⅔ tasse) de crème réduite de 50 %
- 16 olives noires, dénoyautées
- 210 g (7 oz) de jambon cuit, coupé en dés
- Vol-au-vent pour 4 personnes

ÉQUIVALENTS CHAMPIGNONS

Pleurotes
Champignons de couche boutons
Bolets bicolores
Chanterelles comestibles
Russules des marais
Vesses-de-loup
Tricholomes
Pieds-de-mouton
Portobellos

Champignons farcis
au homard, coulis aux amandes

4 portions · Difficulté : 3 · Préparation : 25 min · Cuisson : 10 min

- 16 champignons à gros chapeaux de 5 cm (2 po) de diamètre
- Sel
- Le jus d'un demi-citron fraîchement pressé
- 60 g (¼ tasse) de beurre non salé
- 90 g (¾ tasse) d'amandes effilées
- Sel et poivre du moulin
- 40 g (½ tasse) de persil, haché finement
- 480 g (1 lb) de chair de homard cuit
- 120 g (1 tasse) d'amandes, hachées
- 310 ml (1 ¼ tasse) de bisque de homard maison ou du commerce
- 3 c. soupe de lait d'amande

- À l'aide d'une cuillère, creuser les chapeaux de champignons, les cuire à moitié dans l'eau salée et légèrement citronnée.
- À l'aide d'un couteau, hacher les pieds et ce qui a été retiré des chapeaux.
- Chauffer le beurre et faire dorer les amandes effilées. Ajouter les champignons hachés et cuire jusqu'à complète extraction du liquide. Saler et poivrer, ajouter 20 g (¼ tasse) de persil et réserver au chaud.
- Tailler la chair de homard en dés de 6 x 6 mm (¼ x ¼ po).
- Dans une poêle antiadhésive, faire dorer les amandes hachées.
- Chauffer la bisque de homard, ajouter la crème chaude, les amandes grillées et le lait d'amande.
- Farcir les chapeaux avec les champignons hachés et ajouter les dés de homard. Les disposer dans de petits plats individuels en faïence puis napper de coulis aux amandes. Réchauffer au four à 150 °C (300 °F).
- À la sortie du four parsemer avec le persil restant.

ÉQUIVALENTS CHAMPIGNONS

Tous les champignons à gros chapeaux fermes de 5 cm (2 po) de diamètre.

Tartelettes de foie de volaille
aux armillaires couleur de miel

4 portions · Difficulté : 2 · Préparation : 20 min · Cuisson : 10 min

- Éponger les dés de foie.

- Dans un sautoir, chauffer le beurre puis faire fondre les oignons et les poivrons.

- Pendant ce temps, chauffer l'huile d'arachide et saisir les foies de volaille. Égoutter et, dans la même poêle, faire cuire les armillaires. Saler et poivrer.

- Ajouter aux oignons et aux poivrons, les foies de volailles, le poulet, les armillaires et le fond brun de volaille, lié. Laisser mijoter à 100 °C (200 °F) ou à feu moyen quelques minutes.

- Verser dans les fonds de tartelettes, garnir de pousses de pois et asperger de quelques gouttes d'huile de noisette.

- 400 g (14 oz) de foies de volaille, en dés de 2,5 cm (1 po) de côté
- 80 g (⅓ tasse) de beurre non salé
- 120 g (1 ⅓ tasse) d'oignons, hachés finement
- 60 g (½ tasse) de poivrons jaunes, en tout petits dés
- 60 g (½ tasse) de poivrons rouges, en tout petits dés
- 60 ml (¼ tasse) d'huile d'arachide
- 400 g (14 oz) d'armillaires couleur de miel
- Sel et poivre du moulin
- 240 g (½ lb) de suprêmes de poulet pochés, en dés
- 250 ml (1 tasse) de fond brun de volaille, lié
- 4 fonds de tartelettes cuits
- 4 bouquets de pousses de pois
- Huile de noisette

ÉQUIVALENTS CHAMPIGNONS

Bolets orangés
Marasmes des oréades
Chanterelles
Dermatoses des russules
Lépiotes élevées
Hygrophores de mars
Champignons de couche

Ravioles aux pieds bleus et à la courge musquée

4 portions · Difficulté : 3 · Préparation : 30 min · Cuisson : 12 min

- 120 g (½ tasse) de beurre non salé
- 90 g (½ tasse) d'échalotes sèches, hachées finement
- 300 g (2 ½ tasses) de courge musquée (butternut), en dés de 1,25 x 1,25 cm (1 x 1 po)
- 300 g (5 tasses) de champignons pieds bleus, en dés de 1,25 x 1,25 cm (1 x 1 po)
- Sel et poivre du moulin
- 70 g (⅓ tasse) de tomates émondées, épépinées et coupées en dés
- 1 paquet de pâte won-ton
- 1 blanc d'œuf, fouetté
- 400 ml (1 ⅔ tasse) de bouillon de bœuf ou de poulet

> **ÉQUIVALENTS CHAMPIGNONS**
> Chanterelles, champignons de Paris, bolets, pleurotes, morilles.

- Dans une poêle à fond épais, chauffer le beurre et faire fondre les échalotes. Ajouter les dés de courge et de champignons puis cuire doucement. Saler et poivrer, ajouter les tomates et réserver.

- Étendre une pâte won-ton et garnir le centre avec une cuillerée du mélange, refermer avec une autre pâte. Coller les bords avec le blanc d'œuf. Procéder ainsi jusqu'à épuisement de la préparation. Couvrir d'un linge humide et conserver au réfrigérateur.

- Quinze minutes avant de servir, chauffer le bouillon de bœuf et pocher les ravioles. Les servir immédiatement avec le bouillon.

Hygrophores aux pâtes fraîches

4 portions · Difficulté : 2 · Préparation : 25 min · Cuisson : 20 min

- 300 g (10 oz) de pâtes fraîches
- 120 g (½ tasse) de beurre non salé
- 160 ml (⅔ tasse) de crème 35 %
- Sel et poivre
- 300 g (10 oz) d'hygrophores des prés, essuyés et émincés
- 60 g (⅓ tasse) d'échalotes, hachées finement
- 150 g (1 ¼ tasse) de gruyère, râpé

> **ÉQUIVALENTS CHAMPIGNONS**
> Cèpes, chanterelles, champignons de Paris, russules, psalliotes, clitocybes.

- Dans une grande casserole remplie d'eau bouillante salée, cuire les pâtes 12 à 15 min. Égoutter et mélanger avec 60 g (¼ tasse) de beurre et la crème. Poivrer.

- Chauffer le beurre restant et étuver les champignons. Ajouter les échalotes et cuire 5 min. Choisir un plat à gratin, disposer une couche de pâtes fraîches, puis les champignons, parsemer de la moitié de gruyère et couvrir avec le reste des pâtes. Saler et poivrer. Parsemer le reste du gruyère.

- Gratiner au four à 150 °C (300 °F) environ 15 min.

Morilles farcies à la mousse de foie gras, émulsion de vin de glace

4 portions · Difficulté : 2 · Préparation : 35 min · Cuisson : 20 min

Cette recette est digne des repas de fête. On utilise trois produits qui sont les meilleurs de leur famille.

- Réhydrater les morilles dans 500 ml (2 tasses) d'eau. Couvrir et garder à température ambiante au moins 12 h.

- Égoutter et éponger les morilles. Faire réduire le jus de trempage de 98 %. Vous obtiendrez de l'extrait de jus de morille.

- Chauffer le vin de glace et étuver les morilles à couvert à feu doux, 80 °C (180 °F), pendant 20 min.

- Pendant ce temps, à l'aide d'un robot de cuisine, réduire la mousse de foie gras en pommade. Ajouter 2 c. à soupe de vin de glace et réserver.

- À l'aide d'une poche à douilles, utiliser la douille unie pour farcir les morilles avec la mousse de foie gras.

- Récupérer le vin de glace et le mélanger avec l'extrait de jus de morilles et la crème. Saler et poivrer au goût.

SERVICE

- Disposer les morilles en couronne, verser l'émulsion autour de chaque champignon. Dresser au centre une petite haie de pousses de maïs et parsemer de pousses de pois.

PRÉPARATION

- 20 chapeaux de morilles sèches assez grosses
- 375 ml (1 ½ tasse) de vin de glace
- 1 boîte de 270 g (9 oz) de mousse de foie gras de canard
- 125 ml (½ tasse) de crème 35 %
- Sel et poivre blanc moulu
- 150 g (5 oz) de pousses de maïs jaune
- 150 g (5 oz) de pousses de petits pois

ACHATS

Prendre soin d'acheter des morilles sèches de la même grosseur (assez grosses).

Médaillons de homard aux clitocybes anisés

4 portions · Difficulté : 3 · Préparation : 35 min · Cuisson : 40 min

Il est important de comprendre le mariage du homard avec des champignons. La grande délicatesse et la finesse du homard ne doivent pas être écrasées par des saveurs et des odeurs de champignons trop «goûteux».

Les odeurs des champignons qui s'accordent bien avec le homard :
1) *Odeur fruitée à dominante d'abricot : lactaires recourbés, girolles, chanterelles, hygrophores, russules*
2) *Odeur de poire : lentins ombiliques*
3) *Odeur de vanille : pleurotes des saules*
4) *Odeur fruitée d'amande amère : polypores des brebis*
5) *Odeur anisée : clitocybes, hygrophores à odeur agréable, agarics des bois*

- 2 homards de 700 g (1 ½ lb) chacun
- 1 litre (4 tasses) de court-bouillon (voir p. 112)
- 240 g (1 tasse) de mayonnaise maison ou du commerce (voir p. 114)
- Le jus d'un citron fraîchement pressé
- Sel et poivre blanc moulu
- 300 g (10 oz) de clitocybes anisés, émincés
- 125 ml (½ tasse) de vin blanc sec
- 350 g (5 à 6 tasses) de feuilles de mâche
- 1 rose cultivée «culinaire»

- Dans une grande casserole, porter à ébullition le court-bouillon bien relevé et cuire les homards 4 min. Retirer du feu et laisser reposer dans le liquide 35 min.

- Décortiquer les homards en conservant le corail.

SAUCE

- À l'aide d'un robot de cuisine mixer le corail de homard et la mayonnaise. Ajouter le jus de citron, saler et poivrer au goût. Réserver.

- Saler, poivrer les clitocybes anisés et réserver.

- Faire des médaillons de homard avec les deux queues et couper les pinces en deux sur la longueur. Saler et poivrer. Badigeonner avec le vin blanc sec.

SERVICE

- Dans chaque assiette faire une couronne de feuilles de mâche en laissant le centre libre.

- Disposer au centre les clitocybes, ajouter tous les petits morceaux de homard que l'on aura extrait des petites pattes. Verser la sauce uniformément puis répartir les médaillons et les pinces de homard.

- Garnir de pétales de rose comestibles.

ÉQUIVALENTS CHAMPIGNONS
Cèpes
Vesses-de-loup
Portobellos
Champignons de couche
Agarics

Terrine de ris de veau et homard aux légumes, sauce aux champignons

4 portions · Difficulté : 5 · Préparation : 1 h 15 · Cuisson : Au thermomètre, 70 °C (160 °F) à cœur

- 210 g (7 oz) de fausses cornes d'abondance (cratelles)
- 210 g (7 oz) de shiitakes
- 80 ml (⅓ tasse) d'huile de noix
- Sel et poivre
- 240 g (½ lb) de ris de veau
- 500 ml (2 tasses) de court-bouillon (voir p. 112)
- 240 g (½ lb) de carottes
- 300 g (6 tasses) d'épinards
- 150 g (5 oz) de maigre de veau
- ½ c. à café (½ c. à thé) de laurier moulu
- ½ c. à café (½ c. à thé) de thym moulu
- ½ c. à café (½ c. à thé) de marjolaine moulue
- 3 blancs d'œufs
- 160 ml (⅔ tasse) de crème, fouettée
- 175 ml (¾ tasse) de porto
- 15 médaillons de homard cuits
- 1 feuille de laurier
- 375 ml (1 ½ tasse) de sauce mayonnaise (voir p. 114)

ÉQUIVALENTS CHAMPIGNONS

Champignons de couche
Morilles
Portobellos
Mousserons
Chanterelles

PRÉPARATION

- Hacher les champignons au robot de cuisine.
- Chauffer l'huile de noix et cuire les champignons jusqu'à complète évaporation. Saler et poivrer. Laisser refroidir. Réserver.
- Faire blanchir les ris de veau, puis les cuire 6 à 7 min dans le court-bouillon. Bien égoutter et éplucher. Éponger et réserver entiers.
- Cuire les carottes dans l'eau bouillante salée jusqu'à ce qu'elles soient très cuites.
- Dans très peau d'eau salée, cuire les épinards, les rafraîchir, les égoutter et bien les presser. À l'aide d'un robot de cuisine, réduire séparément les légumes cuits en purée.

FARCE ET SAUCE

- À l'aide d'un robot de cuisine, mixer le maigre de veau, les deux tiers des ris de veau, le sel et les épices. Incorporer à ce mélange les blancs d'œufs, la crème fouettée et le porto.
- Séparer la farce fine en trois parties. Ajouter à l'une d'elles les carottes, à la deuxième les épinards et à la troisième le reste des ris de veau préalablement coupés en petites noix.
- Couvrir le fond d'une terrine d'une pellicule plastique. Disposer au fond la farce aux carottes, puis la farce de ris de veau. Disposer en rangée les médaillons de homard en les enfonçant légèrement dans la farce, saler et poivrer puis terminer avec la farce aux épinards. Ajouter une feuille de laurier et refermer avec de la pellicule plastique.
- Cuire au bain-marie et au four à 150 °C (300 °F). L'eau du bain-marie doit être à 100 °C (200 °F). Cuire pour atteindre 70 °C (160 °F) à cœur. Laisser au réfrigérateur au moins 24 h.
- Mélanger les champignons avec la sauce mayonnaise. Saler et poivrer au goût.

SERVICE

- Disposer de belles tranches de terrine au centre de l'assiette et faire des quenelles de sauce à côté.

Achat : Les champignons doivent être très frais.

Tourte de bolets aux herbes salées et au jambon des Cochons tout ronds

4 portions · Difficulté : 3 · Préparation : 40 min · Cuisson : 40 min

Les Cochons tout ronds est une charmante charcuterie artisanale qui vient d'un ami des îles de la Madeleine.

• Foncer un moule à tarte de 27 cm (11 po) avec une abaisse de pâte brisée de 6 mm (¼ po) d'épaisseur.

• Mettre au four à 200 °C (400 °F) afin de cuire la pâte à moitié.

• Retirer la cuticule visqueuse du chapeau des bolets. Détacher les pieds.

• Dans un sautoir, cuire les chapeaux afin qu'ils rendent leur eau. Pendant ce temps, hacher finement les pieds des bolets et 2 tranches de jambon.

• Blanchir les herbes salées deux fois, égoutter et presser.

• Dans un sautoir, chauffer le beurre et étuver les bolets et le jambon, les herbes salées, saupoudrer avec la farine et mouiller avec le fond blanc de volaille, cuire 4 à 5 min. Saler et poivrer.

• Couvrir le fond de la pâte avec 2 autres tranches de jambon, ajouter une couche de farce et disposer les chapeaux des bolets. Mettre une nouvelle couche de farce, deux tranches de jambon. Terminer avec le reste de la farce.

• Couvrir l'ensemble d'une abaisse de pâte brisée au milieu de laquelle on fait un trou. Pincer les bords, dorer le dessus avec le jaune d'œuf battu et cuire au four à 190 °C (375 °F) pendant 30 à 40 min.

• Avant de servir, verser par la cheminée la glace de veau chaude.

INGRÉDIENTS

- 400 g (14 oz) de pâte brisée
- 35 bolets granulés de petite taille
- 6 tranches de jambon cru du « Cochons tout ronds »
- 80 g (⅓ tasse) d'herbes salées
- 80 g (⅓ tasse) de beurre non salé
- 3 c. à soupe de farine
- 410 ml (1 ⅔ tasse) de fond blanc de volaille ou d'essence de champignons
- Sel et poivre du moulin
- 1 jaune d'œuf
- 125 ml (½ tasse) de glace de veau (voir p. 113)

ÉQUIVALENTS CHAMPIGNONS

Morilles coniques
Chanterelles
Pleurotes
Agarics
Champignons de couche
Vesses-de-loup
Portobellos
Russules des marais
Lactaires du thuya

INFORMATION

L'essence de champignons est l'eau de cuisson des champignons.

Couronne de riz aux russules et au bœuf fumé

Couronne de riz aux russules et au bœuf fumé

4 portions • Difficulté : 2 • Préparation : 15 min • Cuisson : 30 min

- 80 g (⅓ tasse) de beurre non salé
- 300 g (10 oz) de russules verdoyantes ou charbonnières, nettoyées et coupées en lamelles
- 210 g (7 oz) de bœuf fumé, en petits dés
- 8 gousses d'ail des bois, émincées
- 1 c. à soupe de marjolaine déshydratée
- Sel et poivre du moulin
- 250 g (1¼ tasse) de riz à longs grains
- 2 œufs
- 175 ml (¾ tasse) de fond brun de veau, lié
- 40 g (¾ tasse) de ciboulette, ciselée

ÉQUIVALENTS CHAMPIGNONS
Champignons de Paris, cèpes, vesses-de-loup, agarics, tricholomes.

- Chauffer 60 g (¼ tasse) de beurre et étuver doucement les champignons, ajouter le bœuf fumé, l'ail des bois et la marjolaine. Saler et poivrer.

- Cuire le riz à l'eau salée. Rafraîchir et égoutter. Ajouter les œufs battus et verser dans le moule à savarin préalablement beurré avec le beurre restant. Mettre au four à 110 °C (230 °F) pendant 20 min.

- Démouler la couronne, puis verser au centre l'étuvée de champignons. Arroser avec le fond de veau chaud. Parsemer de ciboulette.

Pieds-de-mouton à la crème

4 portions • Difficulté : 2 • Préparation : 10 min • Cuisson : 10 min

- 600 g (1¼ lb) de pieds-de-mouton
- 60 g (¼ tasse) de beurre non salé
- 120 g (⅔ tasse) d'échalotes sèches, émincées
- Sel et poivre du moulin
- 175 ml (¾ tasse) de crème réduite de 50 %
- 30 g (1 tasse) de persil, haché

ÉQUIVALENTS CHAMPIGNONS
Morilles, cèpes, champignons de Paris, pleurotes des saules, tricholomes équestres, russules verdoyantes.

- À l'aide d'un pinceau assez dur, nettoyer les champignons mais sans eau, afin de retirer les impuretés. Les couper en 2 ou en 4 sur la longueur. Réserver.

- Chauffer le beurre et étuver doucement les échalotes. Ajouter les champignons, saler, poivrer et couvrir en cuisant à feu doux, 80 °C (175 °F). Lorsque les champignons auront rejeté leur eau, ils seront cuits.

- Ajouter la crème réduite, saler, poivrer et laisser mijoter 1 à 2 min.

- Servir très chaud et garnir de persil.

Pleurotes marinés à la provençale

4 portions · Difficulté : 2 · Préparation : 20 min · Cuisson : 15 min

PRÉPARATION

- Bien essuyer les pleurotes, sans les mouiller.

- Dans un plat à fermeture hermétique, faire mariner les pleurotes, les oignons, l'ail, le jus de citron, le sel, le poivre, le thym, le laurier, le romarin, la sauge, la marjolaine et l'huile d'olive toute une nuit.

- Le lendemain, verser le tout dans une casserole et cuire à feu doux 85 °C (185 °F) pendant 15 min.

- Laisser refroidir puis ajouter les tomates et le persil. Servir très frais.

- 400 g (14 oz) de petits pleurotes, émincés
- 2 oignons, hachés finement
- 2 gousses d'ail, hachées
- Le jus de 2 citrons, fraîchement pressés
- Sel et poivre du moulin
- 2 pointes de couteau de thym moulu
- ½ feuille de laurier
- 2 pointes de couteau de romarin moulu
- 1 pointe de couteau de sauge moulue
- 2 pointes de couteau de marjolaine moulue
- Huile d'olive extravierge
- 160 g (¾ tasse) de tomates émondées,
- épépinées et coupées en petits dés
- 30 g (1 tasse) de persil, haché

ÉQUIVALENTS CHAMPIGNONS

Champignons de couche
(gros : émincés, petits : boutons)

Oreilles-de-Judas

Portobellos

Agarics

Brochettes aux champignons d'automne, crème sure aux herbes

Psalliotes forestières en brochettes

4 portions · Difficulté : 2 · Préparation : 20 min · Cuisson : approximative

- 16 psalliotes moyennes
- 12 morceaux de lard fumé
- 3 feuilles de laurier, en gros morceaux
- 4 c. à café (4 c. à thé) d'huile d'olive
- 2 c. à café (2 c. à thé) d'ail, haché
- 20 g (²/₃ tasse) de persil, haché
- Sel et poivre

ÉQUIVALENTS CHAMPIGNONS

Champignons de couche
Petits cèpes
Russules verdoyantes
Tricholomes
Vesses-de-loup

- Passer au four pendant 10 min à 60 °C (140 °F) les psalliotes pour leur faire rendre leur eau. Détacher les pieds des chapeaux.

- Dans une casserole d'eau bouillante, blanchir les morceaux de lard fumé.

- Disposer en alternance sur des brochettes de bois les champignons, le lard et le laurier.

- Badigeonner les brochettes d'huile et les faire griller sur le gril ou au barbecue environ 10 min. Servir et les saupoudrer d'ail et de persil. Saler et poivrer.

Brochettes de champignons d'automne, crème sure aux herbes

4 portions · Difficulté : 2 · Préparation : 10 min · Cuisson : 10 min

- 12 à 16 champignons selon la taille et la variété
- 80 ml (¹/₃ tasse) d'huile d'olive
- Sel de mer
- Poivre du moulin
- 410 g (1 ²/₃ tasse) de crème sure (crème aigre ou yogourt nature)
- 15 g (¹/₂ tasse) de ciboulette, ciselée
- 20 g (³/₄ tasse) de persil, haché finement
- 15 g (¹/₂ tasse) de cerfeuil, haché finement

ÉQUIVALENTS CHAMPIGNONS

Bolets, agarics, tricholomes, lepista, russules, vesses-de-loup, cèpes.

- Bien essuyer les champignons et, pour certains, éplucher les chapeaux et gratter le pied.

- Badigeonner avec l'huile d'olive et les enfiler sur des brochettes de bois.

- Griller en trois étapes suivant la méthode, c'est-à-dire commencer à chaleur intense, puis réduire à feu moyen et doux. Saler et poivrer au moment de servir.

- Mélanger la crème sure, la ciboulette, le persil et le cerfeuil. Saler et poivrer.

Quenelles de fondant de faisan, choucroute au cumin et aux cèpes marinés

4 portions • Difficulté : 4 • Préparation : 1 h 30 • Cuisson : 1 h

PRÉPARATION

On peut commencer la préparation de cette recette le mardi pour le samedi, car il y a plusieurs étapes qui demandent du temps.

MARDI

• Saler et poivrer le faisan à l'intérieur et l'extérieur, incorporer à l'intérieur les oignons et les carottes. Brider le faisan.

• Préparer un court-bouillon de qualité et cuire le faisan à 50 °C (120 °F) pour atteindre la cuisson de 80 °C (180 °F) à l'arrière de la cuisse. Laisser le faisan dans son court-bouillon et le mettre au réfrigérateur.

MERCREDI

• Sortir le faisan du court-bouillon, bien l'égoutter et l'éponger.

• Le désosser au complet en séparant la chair des cuisses de celle de la poitrine. Réserver celle-ci pour une autre recette. Au hachoir à grille fine et non au robot de cuisine, hacher deux, même trois fois la chair des cuisses. Saler et poivrer au goût et réserver au réfrigérateur.

• Le même jour, égoutter la choucroute et la blanchir. La rafraîchir tout en la pressant fortement. Chauffer le cidre, ajouter les pommes, la choucroute, les baies de genièvre, le clou de girofle, le cumin et cuire au four à couvert à 190 °C (375 °F), jusqu'à ce que la choucroute soit bien cuite. En fin de cuisson, rectifier l'assaisonnement et réserver. Conserver au réfrigérateur.

• Le jour du repas, 30 min avant de servir, fouetter la crème jusqu'à ce qu'elle soit bien ferme. Avec délicatesse, pour l'obtention d'un fondant de faisan, mélanger la chair de faisan avec la crème sure et la crème fouettée. Rectifier l'assaisonnement et ajouter le cognac.

SERVICE

• Mouler quatre quenelles par personne disposées en étoile dans les assiettes.

• Mettre une petite pyramide de choucroute au centre. Disposer entre chaque quenelle des belles tranches de cèpes marinés (voir p. 109).

• Des petites tranches de pain grillé accompagneront le fondant.

• 1 faisan de 900 g à 1,2 kg (2 à 2 ½ lb)
• Sel et poivre du moulin
• 1 oignon, coupé en quatre
• 1 carotte, en rondelles
• 1,5 litre (6 tasses) de court-bouillon (voir p. 112)
• 400 g (14 oz) de choucroute non cuite
• 500 ml (2 tasses) de cidre sec
• 180 g (1 ½ tasse) de pomme, en dés
• 4 baies de genièvre
• 1 clou de girofle
• 1 c. à soupe de cumin moulu
• Sel et poivre du moulin
• 310 ml (1 ¼ tasse) de crème 35 %
• 150 g (5 oz) de crème sure 14 % (crème aigre ou yogourt nature)
• 80 ml (⅓ tasse) de cognac ou d'armagnac
• Lamelles de cèpes marinés
• Tranches de baguette, grillées

ÉQUIVALENTS CHAMPIGNONS

Chanterelles

Morilles

Pieds-de-mouton

Russules des marais

Polypores

Portobellos

Pleurotes

Volvaires

Soufflés aux champignons, au gruyère et au jus de morilles

4 portions · Difficulté : 4 · Préparation : 60 min · Cuisson : 18 min

- 45 g (1 ½ oz) de chapeaux de morilles déshydratées
- 500 ml (2 tasses) de lait
- Sel et poivre blanc moulu
- Une pointe de couteau de muscade moulu
- Roux blanc (voir p. 114)
- 4 jaunes d'œufs
- 310 g (2 ½ tasses) de gruyère, râpé
- 10 blancs d'œufs
- 2 c. à soupe de beurre non salé
- Farine tamisée
- Fécule de riz

PRÉPARATION

- Faire tremper 15 g (½ oz) de chapeaux de morilles déshydratées dans 310 ml (1 ¼ tasse) d'eau pendant au moins 8 h.

- À l'aide d'un moulin à café, réduire en poudre les chapeaux de morilles restants.

- Infuser cette poudre dans le lait pendant 15 min, saler et poivrer, ajouter la muscade, lier la préparation avec du roux blanc afin que le tout soit assez collé. Ajouter les jaunes d'œufs et le gruyère.

- Battre les blancs d'œufs en neige. Réserver.

- À l'aide d'un pinceau, beurrer des ramequins puis fariner.

- Mélanger avec beaucoup de délicatesse la sauce liée avec le fromage et la poudre de morilles avec les blancs d'œufs. Remplir les ramequins en prenant soin qu'il n'y ait pas de mélange sur les bords. Cuire au bain-marie et au four à 180 °C (350 °F) pendant 18 à 20 min.

- Pendant ce temps, égoutter les morilles trempées, les hacher et les remettre dans leur jus de trempage. Les mettre dans une casserole, saler, poivrer et lier avec la fécule de riz diluée dans un peu d'eau.

- Lorsque les soufflés seront cuits, ils devront être servis immédiatement. Chaque convive fera un petit trou au centre et versera un peu de jus de morille chaud.

ÉQUIVALENTS CHAMPIGNONS
Cèpes
Chanterelles
Trompettes-de-la-mort
Portobellos
Russules des marais
Champignons de couche
Tricholomes équestres
Pieds-de-mouton
Pleurotes en forme d'huître

Taboulé aux champignons noirs
et aux crevettes

4 portions · Difficulté : 2 · Préparation : 35 min · Cuisson : aucune

PRÉPARATION

- Réhydrater les trompettes-de-la-mort (*Craterellus fallax*) et les shiitakes au moins 12 h.
- Dans un bol, mettre les tomates, les concombres, les poivrons, saler, poivrer et recouvrir d'huile d'olive.
- Faire gonfler le couscous précuit ou cuire votre couscous en utilisant le jus de trempage des champignons.
- Égoutter les champignons et les couper aussi en petits dés. Saler, poivrer et les mettre dans le bol avec les légumes. Ajouter les oignons verts.
- Bien égoutter le couscous, mélanger tous les ingrédients qui composent la salade, saler et poivrer. Ajouter du jus de citron au goût ainsi que le persil. Laisser au réfrigérateur au moins 6 h.
- Au moment de servir, incorporer les crevettes.

- 80 g (³/₄ tasse) de trompettes-de-la-mort séchées
- 80 g (³/₄ tasse) de shiitakes séchés
- 2 grosses tomates, émondées, épépinées et coupées en petits dés
- 1 concombre anglais, pelé, épépiné et coupé en petits dés
- ¹/₂ poivron jaune, pelé et coupé en petits dés
- ¹/₂ poivron rouge, pelé et coupé en petits dés
- Sel et poivre du moulin
- Huile d'olive extravierge
- Couscous précuit ou couscous à cuire
- 80 g (1 tasse) d'oignons verts, ciselés
- Le jus de 3 citrons, fraîchement pressés
- 30 g (1 tasse) de persil, haché très finement
- 330 g (11 oz) de crevettes nordiques, décortiquées

Salade de coprins à l'estragon

4 portions · Difficulté : 2 · Préparation : 7 min · Cuisson : aucune

- Séparer les chapeaux de coprins des pieds. Rejeter les pieds et couper les chapeaux en rondelles.
- À l'aide d'une fourchette, écraser les œufs durs. Ajouter l'huile, le jus de citron, l'estragon et bien mélanger. Saler et poivrer. Verser cette préparation sur les coprins.
- On peut servir cette salade accompagnée de charcuterie.

- 16 coprins chevelus, nettoyés
- 2 œufs durs
- 125 ml (¹/₂ tasse) d'huile d'olive
- Le jus d'un citron, fraîchement pressé
- 15 g (¹/₂ tasse) de feuilles d'estragon, hachées finement
- Sel et poivre du moulin

> **ÉQUIVALENTS CHAMPIGNONS**
> Cèpes, guépinies, clitopiles, pleurotes, champignons de couche, oreilles-de-Judas, cortinaires.

Salade de têtes de violon, oreilles-de-Judas, émulsion d'huile de noisette

4 portions · Difficulté : 2 · Préparation : 10 min · Cuisson : aucune

- 400 g (14 oz) de têtes de violon fraîches, nettoyées et lavées*
- 60 ml (¼ tasse) de vinaigre de vin blanc ou de champagne
- 125 ml (½ tasse) d'huile de noisette
- Sel et poivre blanc moulu
- 150 g (5 oz) de petites oreilles-de-Judas
- 25 g (½ tasse) de ciboulette, ciselée
- 4 tranches de brioche Nanterre

* Le mariage des têtes de violon, des oreilles-de-Judas et de l'huile de noisette est remarquable.

- Blanchir les têtes de violon. Rafraîchir, égoutter et éponger.

- À l'aide d'un mélangeur, émulsionner le vinaigre de vin blanc et l'huile de noisette. Saler et poivrer. Mettre les têtes de violon dans ce liquide et faire macérer 3 h.

- Au terme de la macération, ajouter les oreilles-de-Judas et la ciboulette.

- Servir très froid dans des assiettes creuses avec des tranches de brioche Nanterre grillées.

ATTENTION

Si vous n'avez pas d'oreilles-de-Judas fraîches, il faudra vous en procurer des sèches et les réhydrater.

ÉQUIVALENTS CHAMPIGNONS

Pézizes orangées
Guépinies en Helvelle
Champignons de couche
Collybies à pied velouté (Asie)

ACHATS

Les têtes de violon doivent être impérativement fraîches. Vous trouverez les oreilles-de-Judas (*Hirneola* ou *Auricularia Auricula Judas*) dans les épiceries orientales ou vous les cueillerez dans nos forêts.

Mousseline de foie
de volaille aux bolets comestibles

- 50 g (½ tasse) de bolets comestibles séchés
- 600 g (1 ¼ lb) de foie de volaille
- 1 c. à soupe de sel
- 60 ml (¼ tasse) de cognac
- 1 c. à café (1 c. à thé) de sucre
- 2 c. à soupe d'huile d'arachide
- 3 c. à soupe de beurre non salé
- 60 g (⅓ tasse) d'échalotes, hachées finement
- 20 g (½ tasse) de ciboulette, ciselée
- 3 c. à soupe de cognac
- 400 g (14 oz) de beurre non salé en pommade
- Poivre du moulin
- 1 pointe de couteau de muscade, râpée

MARINADE

- À l'aide d'un moulin à café, réduire les champignons en poudre.

- Parer les foies en prenant bien soin qu'il ne reste aucune trace de fiel. Rincer, égoutter et éponger.

- Les mettre dans un récipient fermant hermétiquement, ajouter le sel, le cognac et le sucre et laisser macérer de 14 à 24 h au réfrigérateur.

MOUSSELINE

- Égoutter les foies de volaille, chauffer une poêle à fond épais avec l'huile et 3 c. à soupe de beurre. Il faut saisir les foies de volaille afin qu'ils soient légèrement dorés et rosés à l'intérieur. Ajouter les échalotes, la ciboulette et flamber avec le cognac.

- Préparer la mousseline à l'aide du robot culinaire. Mixer les foies de volaille encore tièdes, incorporer le beurre en pommade, le jus de la macération, le poivre et la muscade. Mélanger jusqu'à l'obtention d'une texture lisse et onctueuse, bien lier. Verser dans une terrine et conserver au réfrigérateur.

ÉQUIVALENTS CHAMPIGNONS
Bolets à pied glabrescent
Bolets bleuissants
Bolets pomme de pin
Fausses cornes d'abondance
Shiitakes

ACHATS
Quel que soit le choix des champignons, ils devront être très secs.

Rillettes de lapin aux champignons des bois, aux trompettes-de-la-mort et aux pieds-de-mouton

4 portions · Difficulté : 3 · Préparation : 40 min · Cuisson : 1 h 30

Cette recette est de mon ami Patrick Mathey.

- Désosser et dénerver le lapin. Conserver les parties nobles (râble et cuisses). Conserver le peu de gras et le faire fondre. Nous compléterons les besoins en gras par du gras de canard ou du saindoux.

- Couper les morceaux de lapin en gros dés.

- Envelopper les champignons dans une mousseline. Chauffer le fond de lapin blanc, ajouter les morceaux de lapin et les champignons. Cuire jusqu'à ce que la viande soit bien cuite.

- Au terme de la cuisson, bien égoutter les chairs et les champignons, laisser refroidir.

- Séparer les peaux des gros morceaux de viande (ventre et cou). Passer ces parties au robot de cuisine. Mettre dans une cocotte la viande, les peaux, la graisse et les champignons émincés. Saler et poivrer. Cuire environ 1 h jusqu'à ce que les fibres de viande se détachent et que l'ensemble soit pasteurisé.

- Après cuisson et au moment ou la graisse commence à figer, bien remuer le mélange pour qu'il soit homogène, puis remplir les moules choisis à votre convenance.

- Toujours sortir les rillettes du réfrigérateur 30 min avant de servir. Des petites tranches de pain baguette grillées seront l'idéal pour tartiner les rillettes.

PRÉPARATION

- 1 kg (2 lb) de chair de lapin cru ou 700 g (1 ½ lb) de chair cuite
- 150 g (5 oz) de trompettes-de-la-mort
- 150 g (5 oz) de pieds-de-mouton
- 1,5 litre (6 tasses) de fond blanc de lapin ou de fond blanc de volaille
- 300 g (10 oz) de graisse de lapin ou de canard
- Sel et poivre du moulin

ÉQUIVALENTS CHAMPIGNONS

Chanterelles
Trompettes-de-la-mort
Shiitakes
Oreilles-de-Judas
Cèpes
Pieds-de-mouton
Morilles

POISSONS, MOLLUSQUES ET CRUSTACÉS

Coulibiac de saumon

8 à 10 portions · Difficulté : 5 · Préparation : 2 h · Cuisson : 1 h

Ce mets, un grand classique de la cuisine russe, était servi comme repas. Lorsque j'ai ouvert le restaurant La Marée en 1974, j'ai adapté cette recette pour en faire une entrée, tout en respectant les produits la composant.

Ce plat doit être préparé pour un minimum de huit personnes et vous pouvez en étaler la préparation sur plusieurs jours.

Il s'agit d'un mets de grande qualité pour les jours de fête. L'avantage est que vous n'aurez qu'à le réchauffer le jour de votre réception.

3 JOURS AVANT VOTRE RÉCEPTION : DUXELLES DE CHAMPIGNONS

• À l'aide d'un robot de cuisine, hacher les champignons.

• Chauffer le beurre et cuire les champignons jusqu'à évaporation complète du liquide. Saler et poivrer et réserver au réfrigérateur.

2 JOURS AVANT VOTRE RÉCEPTION

• Réhydrater le vesiga.

• Dans une casserole d'eau salée, cuire le vesiga, égoutter et réserver.

• Cuire le riz, égoutter et réserver.

• Cuire les œufs durs et réserver.

1 JOUR AVANT VOTRE RÉCEPTION

• Saler et poivrer les filets de saumon.

• Chauffer l'huile et saisir vivement 30 sec de chaque côté. Réserver au réfrigérateur au moins 2 h.

• Battre légèrement les blancs d'œufs et les incorporer à la duxelles de champignons.

MONTAGE

• Étendre la pâte feuilletée afin de faire une abaisse de 14 cm (5 ½ po) de large et de 4 cm (1 ½ po) de plus que la longueur du saumon.

suite à la page 68

PRÉPARATION

• 2 filets de saumon 800 g (1 ¾ lb) chacun
• 1,2 kg (2 ½ lb) de champignons de Paris
• 80 g (⅓ tasse) de beurre
• Sel et poivre du moulin
• 150 g (5 oz) de vesiga* ou de tapioca déshydraté
• 190 g (1 tasse) de riz blanc
• 6 œufs
• 80 ml (⅓ tasse) d'huile de cuisson
• 2 blancs d'œufs
• 1 kg (2 lb) de pâte feuilletée
• 30 g (1 tasse) d'aneth frais, haché finement
• 2 jaunes d'œufs
• 60 ml (¼ tasse) de lait
• 310 ml (1 ¼ tasse) de sauce mousseline (voir p. 115)

* Le vesiga qu'on trouve dans le commerce est la moelle épinière de l'esturgeon. Si vous ne trouvez pas de vesiga, le remplacer par du tapioca.

- Mettre une couche de duxelles de champignons de 1,25 cm (½ po) d'épaisseur sur l'abaisse couvrant la longueur du saumon.

- Mettre le premier filet de saumon.

- Étendre une mince couche de duxelles sur le dessus.

- Disposer le deuxième filet de saumon.

- Étendre le reste de duxelles avec le vesiga, bien assaisonné.

- Mélanger l'aneth, le riz et les œufs durs hachés. Étendre cette préparation sur la duxelles.

- Étendre une grande abaisse de pâte feuilletée, afin de bien recouvrir l'ensemble du montage.

- Avec les jaunes d'œufs battus et le lait, badigeonner les bords de la pâte et pincer pour bien refermer. Badigeonner le coulibiac, faire deux petites cheminées et mettre au congélateur 2 h.

- Préchauffer le four à 260 °C (500 °F).

- Mettre une plaque renversée sur la grille centrale du four.

- Badigeonner de nouveau avec la dorure et mettre le coulibiac au four sur la plaque. Lorsque la pâte sera croustillante, réduire la chaleur à 150 °C (300 °F), en recouvrant d'une feuille de papier aluminium.

- Après environ 30 min, mesurer la température par la cheminée. À 58 °C (138 °F), arrêter la cuisson.

UN CONSEIL POUR LE SERVICE

- Laisser refroidir le coulibiac 24 h au réfrigérateur. Lorsque le coulibiac sera froid, faire de belles tranches selon l'épaisseur voulue et réchauffer au four avec quelques noix de beurre non salé.

- Servir très chaud avec une sauce mousseline (recette de base).

- 4 filets épais de cabillaud de 210 g (7 oz) chacun
- 150 g (1 ½ tasse) de cèpes déshydratés
- 1 pain tranché
- Sel et poivre du moulin
- 1 pointe de couteau de muscade
- 1 œuf
- 125 ml (½ tasse) de lait
- Farine
- 160 g (⅔ tasse) de beurre non salé
- 160 ml (⅔ tasse) de jus brun de veau

ÉQUIVALENTS CHAMPIGNONS
Morilles
Russules
Chanterelles
Champignons de Paris
Shiitakes

ÉQUIVALENTS POISSONS
Colin, lieu, goberge, merlan, tille.

Filets de cabillaud en croûte, poudre de cèpes au jus de veau

4 portions · Difficulté : 3 · Préparation : 15 min · Cuisson : 7 min

Il est important de préparer vous-même votre poudre de champignons ainsi que votre chapelure.

POUDRE DE CHAMPIGNONS

• Même si les cèpes sont déshydratés, les mettre four à 100 °C (210 °F) pendant 1 ou 2 h et les réduire en poudre à l'aide d'un moulin à café.

CHAPELURE FRAÎCHE

• Retirer la croûte d'un pain et la mixer au robot de cuisine. La chapelure se conserve au moins 1 mois au réfrigérateur dans un récipient à fermeture hermétique.

• Mélanger ⅓ de poudre de champignons et ⅔ de chapelure fraîche, saler, poivrer et ajouter la muscade.

• Bien éponger les filets de cabillaud.

• Fouetter l'œuf et le lait.

• Saler, poivrer et fariner les filets, les tremper dans le mélange d'œuf et les enrober de chapelure.

• Dans une poêle à fond épais, chauffer le beurre et colorer de chaque côté les filets puis réduire la cuisson, pour atteindre 62 °C (145 °F) à cœur. Servir immédiatement avec un cordon de jus de veau très chaud autour.

INFORMATION

Le véritable nom de notre morue est « cabillaud ». Salé, il prend le nom de « morue ».

INGRÉDIENTS

- 300 g (10 oz) de chanterelles
- 160 g (²/₃ tasse) de beurre non salé
- 250 g (2 tasses) de mirabelles mûres, coupées en quatre
- Sel et poivre du moulin
- 4 darnes d'omble chevalier de 210 g (7 oz)
- 60 ml (¹/₄ tasse) d'huile de noisette
- Farine
- 20 g (³/₄ tasse) de persil, haché
- Le jus d'un citron fraîchement pressé

Darnes d'omble chevalier à la meunière sur un lit de chanterelles et de mirabelles

4 portions · Difficulté : 2 · Préparation : 15 min · Cuisson : 10 min

- Bien nettoyer les chanterelles sans les mouiller dans la mesure du possible. On peut enlever les impuretés entre les lamelles à l'aide d'un pinceau. Réserver au réfrigérateur.

- Dans une poêle, chauffer 4 c. à soupe de beurre. Faire sauter les chanterelles, saler et poivrer. Réserver.

- Répéter la même opération pour les mirabelles. Réserver.

- Saler et poivrer chaque darne d'omble chevalier, chauffer 80 g (¹/₃ tasse) de beurre et l'huile de noisette dans une poêle, fariner chaque darne, les colorer de chaque côté puis ralentir la cuisson pour atteindre 62 °C (143 °F) à cœur.

- Réchauffer les chanterelles et les mirabelles ensemble, parsemer de persil. Rectifier l'assaisonnement. Faire un lit de cette préparation au centre des assiettes, bien aplatir. Disposer dessus les darnes d'omble chevalier.

- Chauffer le beurre de cuisson jusqu'à ce qu'il devienne de couleur noisette, verser le jus de citron sur les darnes puis napper de beurre noisette. Garnir de persil.

- Servir soit avec des cœurs de quenouilles, des salsifis ou des pommes de terre rattes cuites à la vapeur.

ÉQUIVALENTS CHAMPIGNONS

Cèpes
Portobellos
Pleurotes
Mousserons
Agarics
Russules

ÉQUIVALENTS POISSONS

Espadon, requin, colin, morue, thon, saumon.

INFORMATION

L'omble chevalier est un merveilleux poisson pour cuisiner. Sa grande délicatesse lui confère des saveurs de noisette et parfois même de thym.

Doré farci grillé aux herbes des bois, essence de champignons aux pistaches

4 portions · Difficulté : 3 · Préparation : 40 min · Cuisson : 40 min

PRÉPARATION

INGRÉDIENTS

- 1 doré de 900 g à 1,2 kg (2 à 2 ½ lb)
- Sel de mer et poivre du moulin
- 50 g (1 tasse) de livèche
- 50 g (1 tasse) de feuilles d'oseille
- 1 brin de thym
- 1 feuille de laurier
- 4 c. à soupe de pistaches, hachées
- 2 c. à soupe d'huile de pistache ou de noisette
- 150 g (5 oz) de champignons de couche
- 150 g (5 oz) de russules orangées
- 50 g (1 ⅔ tasse) de persil, haché
- Essence de champignons

- Demander à votre poissonnier d'enlever soigneusement les arêtes du poisson par le ventre.

- Saler et poivrer. Envelopper dans un linge propre ou un papier absorbant et conserver au réfrigérateur afin de retirer le maximum d'humidité.

- Ouvrir le poisson, le farcir avec la livèche, l'oseille, le thym, la feuille de laurier. Parsemer de 2 c. à soupe de pistaches. Ajouter sur l'ensemble l'huile de pistache. Refermer le poisson et le mettre sur la grillade ou le barbecue (voir p. 83). Saler, poivrer de nouveau et badigeonner légèrement avec un peu d'huile de pistache.

- À chaleur intense, saisir le poisson pour lui donner une croûte grillée, puis réduire la chaleur afin de cuire doucement le poisson pour atteindre 65 °C (150 °F). Laisser reposer à chaleur tempérée.

ESSENCE DE CHAMPIGNONS

- Cuire les champignons dans 500 ml (2 tasses) d'eau salée puis, avant de servir le doré, mélanger vivement l'essence de champignons, ajouter les pistaches restantes et le persil. Rectifier l'assaisonnement. On peut aussi mixer les champignons avec l'essence.

SERVICE

- Couper le doré en portions, en gardant la peau et les herbes. Napper avec le mélange d'essence de champignons et de pistaches. Servir avec des petites pommes de terre rattes.

INFORMATION

· Le doré du Québec, qu'il soit jaune ou noir, s'appelle « sandre d'Amérique » en Europe.
· L'essence de champignons est l'eau de cuisson des champignons.

ÉQUIVALENTS CHAMPIGNONS
Polypores
Bolets
Cèpes
Chanterelles
Pleurotes

ÉQUIVALENTS POISSONS
Truite, corégone, dorade, bar, mulet, carange, truite de mer, sébaste.

Ailes de raie pochées sur lit de vesses-de-loup, beurre aux câpres et au citron

4 portions · Difficulté : 3 · Préparation : 15 min · Cuisson : 10 min

- 4 ailes de raie de 210 g (7 oz) avec arêtes, coupées en morceaux
- 2 c. à soupe d'huile de noisette
- 600 g (1 ¼ lb) de vesses-de-loup, très fraîches et fermes, coupées en tranches de 6 mm (¼ po)
- Sel de mer et poivre du moulin
- 180 g (¾ tasse) de beurre non salé
- 1 litre (4 tasse) de court-bouillon (voir p. 112)
- 80 g (⅓ tasse) de câpres, égouttées et épongées
- 70 g (¼ tasse) de citron, en tout petits dés
- 45 g (1 tasse) de ciboulette, ciselée
- 600 g (1 ¼ lb) de pommes de terre rattes*

* Les pommes de terre surnommées « rattes » n'absorbent pas l'eau contrairement à d'autres variétés.

- Huiler le fond d'une lèchefrite, disposer bien à plat les vesses-de-loup. Saler, poivrer et ajouter des petites noix de beurre pour une valeur de 60 g (¼ tasse). Cuire au four à 210 °C (410 °F) en retournant, jusqu'à cuisson complète.

- Pendant ce temps, chauffer le court-bouillon à 90 °C (190 °F), ajouter les morceaux de raies et cuire pour atteindre 68 °C (155 °F) à cœur. À l'aide d'une écumoire retirer immédiatement les morceaux d'ailes de raie et enlever la peau. Éponger et disposer sur les tranches de vesses-de-loup.

- Chauffer le beurre restant jusqu'à ce qu'il devienne noisette. Ajouter rapidement les câpres et les dés de citron. Verser immédiatement sur les ailes de raie, parsemer de ciboulette et, servir immédiatement accompagnées de pommes de terre cuites à l'eau salée.

ÉQUIVALENTS CHAMPIGNONS
Cèpes
Bolets
Pleurotes
Champignons de couche
Portobellos

ÉQUIVALENTS POISSONS
Darnes de saumon, filets de turbot, flétan, espadon, requin, thon.

INFORMATION
La raie possède une structure cartilagineuse qui lui confère une texture particulière. Il existe plus de 18 variétés de raies ayant droit à la dénomination scientifique de *Raja*. Au Québec, on la trouve généralement sous la forme d'ailes de raies.

Moules sauce poulette et son flan de pleurotes

4 portions · Difficulté : 2 · Préparation : 25 min · Cuisson : 20 min

FLAN DE PLEUROTES

- Saler et poivrer le lait, ajouter la muscade, les champignons et cuire 4 à 5 min à feu doux jusqu'à atteindre, 90 °C (190 °F). Laisser tiédir.

- Fouetter les œufs, puis les ajouter au mélange de champignons.

- Verser la préparation dans des ramequins et cuire au bain-marie à feu moyen à 120 °C (250 °F) pour atteindre 68 °C (155 °F) à cœur. Réserver au chaud.

- Bien laver les moules, égoutter.

- Chauffer le vin blanc, ajouter les échalotes, les moules, couvrir et cuire 3 min. Laisser tiédir, retirer les coquilles et conserver le jus de cuisson. Réserver les moules au réfrigérateur.

- Réduire la crème de moitié, ajouter le fond de cuisson des moules. Rectifier l'assaisonnement. Si le mélange manque de liaison ajouter un peu de fécule de riz mélangée avec un peu de lait. Ajouter le persil, les moules et laisser mijoter 1 à 2 min.

SERVICE

- Démouler le flan de pleurotes au centre de l'assiette, verser les moules poulettes autour du flan. Parsemer les algues déshydratées sur l'ensemble des assiettes.

PRÉPARATION

- 1,6 kg (3 ½ lb) de moules fraîches
- Sel et poivre du moulin
- 500 ml (2 tasses) de lait
- 1 pointe de couteau de muscade
- 300 g (10 oz) de pleurotes, hachés finement
- 4 œufs
- 175 ml (¾ tasse) de vin blanc sec
- 60 g (½ tasse) d'échalotes sèches, hachées finement
- 250 ml (1 tasse) de crème 35 %
- Fécule de riz
- 20 g (¾ tasse) de persil, haché
- 1 c. à café (1 c. à thé) d'algues déshydratées

ÉQUIVALENTS CHAMPIGNONS

Shiitakes

Portobellos

Champignons de Paris

Cèpes

- 2 c. à soupe d'huile de tournesol
- 400 g (14 oz) de polypores de brebis, émincés d'une épaisseur régulière
- Sel et poivre du moulin
- 250 ml (1 tasse) de vin blanc
- 60 g (⅓ tasse) d'échalotes sèches, hachées finement
- 80 ml (⅓ tasse) de lait d'amande
- 250 ml (1 tasse) de crème 35 %
- Poivre blanc moulu
- 180 g (¾ tasse) de beurre non salé en pommade
- 12 noix de pétoncles de 60 à 70 g (2 à 2 ½ oz) chacune
- Le jus d'une lime fraîchement pressé

ÉQUIVALENTS CHAMPIGNONS

Cèpes
Champignons de Paris
Portobellos
Pleurotes
Shiitakes

ÉQUIVALENTS CRUSTACÉS

Coquille Saint-Jacques,
homard, mactre de stimpson,
crabe, langoustine.

Noix de pétoncles sautées, sauce aux amandes et aux polypores de brebis

PRÉPARATION — 4 portions · Difficulté : 3 · Préparation : 20 min · Cuisson : 6 min

Pourquoi choisir le polypore des brebis pour cette recette ? Parce que ce champignon possède des odeurs d'amande amère. Et pourquoi avec des pétoncles ? Tout simplement parce que le goût d'amande relève la grande délicatesse des pétoncles.

- Badigeonner d'huile de tournesol le fond d'un plat allant au four et ajouter les champignons. Saler, poivrer et cuire au four à 150 °C (300 °F) en les retournant 1 ou 2 fois.

- Pendant ce temps, réduire le vin blanc de 90 %, les échalotes et le lait d'amande. Ajouter la crème réduite de 50 %. Assaisonner avec du sel et du poivre blanc et réserver.

- Dans un sautoir chauffer 120 g (½ tasse) de beurre, jusqu'à ce qu'il soit couleur noisette. Saler et poivrer les noix de pétoncles, puis les colorer de chaque côté. Laisser reposer quelques minutes.

- Terminer la sauce en émulsionnant la réduction avec le beurre restant et ajouter le jus de lime.

SERVICE

- Au centre de l'assiette, disposer les champignons bien à plat, ajouter les pétoncles et napper de sauce.

- On peut servir en saison des cœurs de quenouilles ou des têtes de violon (crosses de fougères) en accompagnement.

INFORMATION

Au Québec, les pétoncles sont aussi gros que les coquilles Saint-Jacques, mais leur coquille est friable. C'est pourquoi nous cuisinons nos noix de pétoncles dans des coquilles Saint-Jacques.

Crevettes sautées, pleurotes des saules, sauce homardine au Ricard

4 portions · Difficulté : 3 · Préparation : 20 min · Cuisson : 4 min

- Chauffer 500 ml (2 tasses) d'eau et faire blanchir les pleurotes. Égoutter, éponger et réserver.

- Chauffer la bisque de homard, ajouter la crème réduite, les algues et les lamelles de pleurotes. Assaisonner et réserver.

- Bien éponger les crevettes, saler et poivrer.

- Chauffer l'huile, saisir vivement les crevettes, 1 min maximum, juste pour les raidir. Extraire le gras de cuisson et flamber avec le Ricard. Réserver.

- Quelques minutes avant de servir, verser la sauce sur les crevettes et laisser mijoter quelques minutes à feu élevé, jusqu'à 90 °C (190 °F) ; ne pas atteindre 100 °C (200 °F), car les crevettes durciraient.

- Servir accompagné d'un riz pilaf.

- 600 g (1 ¼ lb) de crevettes 21/25 « non tigrées »
- 300 g (10 oz) de pleurotes des saules, en lamelles de 4 mm x 3 cm (⅛ x 1 ½ po)
- 410 ml (1 ⅔ tasse) de bisque de homard maison ou du commerce
- 125 ml (½ tasse) de crème 35 %, réduite de 50 %
- 5 g (¼ tasse) d'algues goémon déshydratées, concassées
- Sel de mer et poivre du moulin
- 80 ml (⅓ tasse) d'huile de tournesol
- 125 ml (½ tasse) de Ricard

CONSEILS

· Si les pleurotes sont petits, vous pouvez les laisser entiers.
· Attention ! Les crevettes tigrées sont meilleures grillées, car, bouillies, leur texture devient désagréable.

ÉQUIVALENTS CHAMPIGNONS

Champignons de Paris
Cèpes de Bordeaux
Agarics
Polypores tricholomes

ÉQUIVALENTS POISSONS

Homards,
mactres de Stimpson,
crevettes nordiques,
crabes des neiges,
crabes dormeurs.

Tronçons de baudroie aux pieds-de-mouton, velouté de poisson au cacao

4 portions · Difficulté : 3 · Préparation : 30 min · Cuisson : 8 min

- 4 tronçons de baudroie de 210 g (7 oz)
- 60 g (¼ tasse) de beurre non salé
- 2 c. à soupe d'huile de noix
- 90 g (½ tasse) d'échalotes, hachées finement
- 300 g (10 oz) de pieds-de-mouton, lavés, égouttés, épongés et coupés en petits dés de 6 x 6 mm (¼ x ¼ po)
- Sel et poivre du moulin
- 310 ml (1 ¼ tasse) de velouté de poisson (voir p. 115)
- 3 c. à soupe poudre de cacao
- 125 ml (½ tasse) de vin blanc
- 160 ml (⅔ tasse) de fumet de poisson (voir p. 113)
- 300 g (1 ¼ tasse) de lentilles du Puy cuites

- Chauffer le beurre et l'huile de noix et étuver les échalotes doucement, ajouter les dés de pieds-de-mouton. Saler et poivrer. Lorsque les champignons auront rejeté leur eau, ils seront cuits. Passer à la passoire à mailles et conserver le jus.

- Chauffer le velouté de poisson, ajouter le jus des champignons et la poudre de cacao.

- Dans un sautoir, déposer une marguerite, ajouter le vin blanc, le fumet de poisson et cuire les médaillons de baudroie afin qu'ils atteignent 68 °C (158 °F) à cœur.

- Incorporer les champignons et rectifier la fluidité de la sauce avec un peu de jus de cuisson de la baudroie. Assaisonner au goût.

- Chauffer les lentilles du Puy au four à micro-ondes.

SERVICE

- Répartir les lentilles dans quatre assiettes. Disposer les médaillons de baudroie et napper de sauce aux champignons.

ÉQUIVALENTS CHAMPIGNONS

Chanterelles
Agarics
Psalliotes
Tricholomes de la Saint-Georges
Oreilles-de-Judas

ÉQUIVALENTS POISSONS

Tranches d'espadon, requin, thon, mahi-mahi, saumon, bonite.

INFORMATION

La baudroie est connue au Québec sous le nom de « lotte ». Ce poisson hideux sans écailles est pourtant le plus indiqué pour habituer les enfants à manger du poisson, car il n'a pratiquement pas d'odeur et pas d'arêtes.

Escolar grillé, croûtons de cèpes
et purée de patates douces

4 portions · Difficulté : 2 · Préparation : 25 min · Cuisson : 20 min

PRÉPARATION

- Dans une casserole remplie d'eau salée, cuire les morceaux de patates douces jusqu'à ce qu'ils soient tendres.

- Dans une poêle à fond épais, chauffer 60 ml (¼ tasse) d'huile, ajouter 4 c. à soupe de beurre et faire fondre les oignons 2 à 3 min, incorporer les cèpes et poursuivre la cuisson quelques minutes. Ajouter la moutarde et le persil. Saler, poivrer et réserver.

- Les pommes de terre douces étant cuites, les égoutter et les mettre sur une plaque au four à 150 °C (300 °F) environ 10 min afin d'extraire le maximum d'humidité. Passer les pommes de terre au moulin à légumes, ajouter 80 ml (⅓ tasse) d'huile d'olive et le beurre restant, saler, poivrer et réserver au chaud.

- Bien éponger les tranches d'escolar. Saler, poivrer et badigeonner avec un petit pinceau et l'huile restante. Cuire le poisson et les tomates sur le gril ou le barbecue en respectant les trois étapes (voir p. 83).

SERVICE

- Au fond de chaque assiette, répartir la purée de patates douces, les tomates et le poisson, disposer à côté les champignons sur une petite tranche de pain grillé.

INGRÉDIENTS

- 4 tranches d'escolar de 180 g (6 oz) chacune
- 480 g (1 lb) de patates douces, coupées en morceaux égaux
- 160 ml (⅔ tasse) d'huile d'olive extravierge
- 120 g (½ tasse) de beurre non salé
- 120 g (1 ⅓ tasse) d'oignons, pelés et hachés
- 300 g (10 oz) de cèpes, nettoyés et hachés
- 2 c. à soupe de moutarde de Dijon
- 20 g (⅔ tasse) de persil, haché
- Sel et poivre du moulin
- 4 tomates, émondées et épépinées
- 4 tranches de baguette, grillées

ÉQUIVALENTS CHAMPIGNONS

Chanterelles
Champignons de couche
Pleurotes
Agarics
Russules orangées

ÉQUIVALENTS POISSONS

Turbot, flétan, requin, mahi-mahi

Pavés de bonite à dos rayé aux bolets bicolores, crème de camembert à la fleur d'ail

4 portions · Difficulté : 2 · Préparation : 25 min · Cuisson : 12 min

¡Le bolet bicolore (Boletus Bicolor) a la particularité d'avoir des odeurs de Camembert. Cette odeur est rare chez les champignons supérieurs mais commune chez les champignons qui mûrissent les fromages comme le Penicilliun Camembertii ou le Penicillium Roquefortii.

- Bien éponger les pavés de bonite dans un linge propre et les conserver au réfrigérateur.

- Dans une poêle, chauffer 60 ml (¼ tasse) d'huile de noisette et sauter vivement les bolets. Saler, poivrer et réserver.

- Saler, poivrer et fariner les pavés de bonite.

- Dans une grande poêle à fond épais, chauffer l'huile de noisette restante et saisir les pavés, réduire la chaleur pour atteindre 66 °C (151 °F).

- Pendant ce temps, chauffer au four à micro-ondes, à basse température, le camembert avec la crème et la fleur d'ail par séquences de 30 sec afin d'obtenir une «crème». Ajouter du sel, du poivre blanc au goût, les dés de champignons et le persil.

SERVICE

- Disposer au centre des assiettes les pavés de bonite et napper de sauce. Servir avec des pommes de terre mousseline.

- 4 pavés de bonite à dos rayé de 180 g (6 oz) chacun
- 175 ml (¾ tasse) d'huile de noisette
- 400 g (14 oz) de bolet bicolore, en petits dés
- Sel et poivre du moulin
- Farine
- 210 g 7 oz de camembert bien vieilli
- 125 ml (½ tasse) de crème 35 %
- 80 g (⅓ tasse) de fleur d'ail
- Poivre blanc moulu
- 40 g (1 ⅓ tasse) de persil, haché

ÉQUIVALENTS CHAMPIGNONS

Chanterelles
Champignons de Paris
Agarics
Portobellos

ÉQUIVALENTS POISSONS

Flétan, barque, espadon, thon, requin, mahi-mahi

Pavés de saumon grillé, émulsion de champignons à l'huile d'amande

4 portions · Difficulté : 2 · Préparation : 15 min · Cuisson : 8 à 10 min

- 4 morceaux de filet de saumon de 180 g (6 oz)
- Sel et poivre du moulin
- 60 ml (¼ tasse) d'huile d'olive
- Le jus d'un citron
- 2 c. à soupe de lait d'amande
- Poivre blanc
- 160 ml (⅔ tasse) d'huile d'amande
- 10 g (⅓ tasse) de pluches de cerfeuil
- 15 g (½ oz) de poudre de champignons (russules, cèpes, trompettes-de-la-mort ou portobellos)

PRÉPARATION

- Bien éponger les pavés de saumon pendant au moins 2 à 3 h afin d'enlever le maximum d'humidité.

- Chauffer le barbecue ou le gril selon la technique indiquée. Saler, poivrer chaque pavé et badigeonner légèrement avec l'huile d'olive. Saisir les pavés du côté le plus chaud du barbecue. Quadriller de chaque côté, puis, transférer à chaleur moyenne et terminer la cuisson à chaleur tempérée pour atteindre 60 °C (140 °F).

TECHNIQUE DE GRILLADE
Que ce soit une grillade d'intérieur ou un barbecue, il important de chauffer celle-ci de la façon suivante :

1ʳᵉ   2ᵉ   3ᵉ
Étapes

- Pendant la cuisson, à l'aide d'un mélangeur, mixer le jus de citron et le lait d'amande, saler et poivrer et incorporer l'huile d'amande chaude. Au dernier instant, ajouter les pluches de cerfeuil et la poudre de champignons.

- Servir en émulsion dans une saucière. Une purée de pommes de terre accompagnera les pavés.

ÉQUIVALENTS CHAMPIGNONS

Trompettes-de-la-mort
Cèpes
Morilles
Champignons de couche
Russules orangées
Portobellos

INFORMATION

À l'est du Canada, nous ne comptons qu'une famille de saumon : le saumon de l'Atlantique. À l'ouest, cependant, on en compte cinq familles : le rose (*O. gorbuscha*), le keta (*O. keta*), le rouge (*O. nerka*), le coho (*O. kisutch*) et le quinnat (*O. tshawytscha*).

ACHATS

Pour cette recette, les champignons devront être très secs afin de pouvoir les réduire en poudre.

VIANDE, VOLAILLE ET GIBIER

Poularde aux morilles et au vin jaune

Cette recette, qui nous vient du Jura français, est un des plus beaux mariages entre trois produits de qualité, la poularde, le vin jaune et les morilles. C'est le vin jaune qui est particulier au Jura. Cependant, cette recette coûte assez cher et on voudra sans doute la réserver pour les jours de fête.

- Douze heures avant l'utilisation, réhydrater les morilles dans 1 litre (4 tasses) d'eau froide et réserver au réfrigérateur.

- Saler et poivrer la poularde à l'intérieur et à l'extérieur. Brider et blanchir la volaille, c'est-à-dire mettre la poularde dans une marmite, la recouvrir d'eau froide et porter à ébullition. Rafraîchir immédiatement. Cette opération a pour but d'enlever les impuretés.

- Remettre la poularde dans une marmite, ajouter le jus de trempage des morilles, le fond blanc de volaille, l'oignon piqué du clou de girofle, la carotte, le céleri et le bouquet garni. Cuire à feu moyen à 100 °C (200 °F) à couvert pour atteindre 80 °C (180 °F) à l'arrière cuisse. Sortir la poularde, séparer les cuisses et les suprêmes et réserver.

- Remettre les os de poularde dans le bouillon et cuire de nouveau 30 min. Passer le bouillon à la passoire à mailles et réduire de moitié (environ 500 ml/2 tasses).

- Pendant la cuisson de la poularde, réduire la crème de moitié.

- Dans un sautoir, chauffer le beurre et faire fondre les morilles c'est-à-dire qu'elles prennent doucement le goût du beurre. Saler et poivrer et réserver. Lier cette préparation avec du roux blanc pour atteindre la liaison voulue, puis ajouter le vin jaune et les morilles. Laisser mijoter sans jamais porter ébullition car toutes LES ODEURS ET LES SAVEURS DU VIN JAUNE S'ÉCHAPPERAIENT. Rectifier l'assaisonnement.

SERVICE

- Ce plat de grande classe doit se déguster très chaud, donc disposer les suprêmes et les cuisses dans une cocotte de service, verser la sauce aux morilles. Chauffer et mettre cette cocotte au centre de la table. Un riz pilaf complétera ce grand classique culinaire. Bien sûr, un vin jaune sera de rigueur.

- 1 poularde de 1,3 à 1,8 kg (3 à 4 lb)
- 150 g (5 oz) de petites morilles déshydratées
- Sel et poivre du moulin
- 1 litre (4 tasses) de fond de volaille blanc
- 1 oignon
- 1 clou de girofle
- 1 carotte
- 1 branche de céleri
- 1 bouquet garni
- 500 ml (2 tasses) de crème 35 %
- 80 g (⅓ tasse) de beurre non salé
- Roux blanc (voir p. 114)
- 500 ml (2 tasses) de vin jaune
- 600 g (4 ½ tasses) de riz pilaf cuit

ÉQUIVALENTS CHAMPIGNONS
Shiitakes

ÉQUIVALENTS VOLAILLES
Coq, chapon, poule.

Suprêmes de pintade au cidre

4 portions · Difficulté : 3 · Préparation : 25 min · Cuisson : 30 à 40 min

- 4 suprêmes de pintade de 210 g (7 oz) chacun
- 60 g (¼ tasse) de beurre non salé
- 60 ml (¼ tasse) d'huile de cuisson
- Sel et poivre du moulin
- 90 g (1 tasse) d'oignons, hachés finement
- 4 c. à café (4 c. à thé) d'ail, haché finement
- 250 ml (1 tasse) de cidre sec
- 250 ml (1 tasse) de fond brun de volaille, non lié
- 90 g (3 oz) de chanterelles, nettoyées, lavées, égouttées et coupées de grosseur uniforme
- 90 g (3 oz) de champignons de Paris, nettoyés, lavés, égouttés et coupés de grosseur uniforme
- 90 g (3 oz) de pieds-de-mouton, nettoyés, lavés, égouttés et coupés de grosseur uniforme
- 90 g (3 oz) de pleurotes, nettoyés, lavés, égouttés et coupés de grosseur uniforme
- Fécule de riz, maïs ou pomme de terre
- 4 fonds d'artichauts, cuits

ÉQUIVALENTS CHAMPIGNONS

Bolets bais, coprins chevelus, hydnes sinueux, hygrophores, marasmes, vesses-de-loup.

ÉQUIVALENTS VOLAILLE

Poulet, chapon, faisan, tétras, gélinotte huppée.

- Dans une poêle à fond épais, chauffer le beurre et l'huile de cuisson. Saler et poivrer les suprêmes et colorer également de chaque côté. Retirer de la poêle les suprêmes et réserver au chaud.

- Faire revenir les oignons et l'ail dans le gras de cuisson pendant quelques minutes. Extraire le gras de cuisson et déglacer avec le cidre, ajouter le fond de volaille, remettre les suprêmes, ajouter les champignons et cuire de nouveau à couvert pour atteindre 70 °C (160 °F) à cœur.

- Retirer les suprêmes puis lier légèrement avec un peu de fécule mélangée avec un peu d'eau froide. Rectifier l'assaisonnement.

- Servir avec des fonds d'artichauts.

Coussins de champignons et ris de veau au porto

4 portions · Difficulté : 3 · Préparation : 60 min · Cuisson : 40 min

- Dégorger les ris de veau en laissant couler un filet d'eau froide pendant 1 h. Cette opération a pour but d'enlever les impuretés des ris de veau (sang).

- Chauffer le court-bouillon et cuire les ris de veau 30 min ou jusqu'à ce qu'ils soient moelleux. Égoutter et mettre sous presse, c'est-à-dire mettre une grille ou une plaque sur les ris de veau et poser un poids de 1 à 2 kg (2,2 à 4 ¼ lb) sur la plaque. Laisser refroidir au réfrigérateur au moins 2 h. Enlever la pellicule qui les recouvre.

- Chauffer le beurre et l'huile dans une poêle à fond épais, saler, poivrer et sauter les champignons jusqu'à complète évaporation de l'eau. Réserver.

- Ajouter le porto avec les échalotes et réduire de 90 %. Verser la crème et réduire de nouveau de moitié. Ajouter le fond de veau et rectifier l'assaisonnement.

- Une quinzaine de minutes avant de servir, réunir les trois éléments. Chauffer les coussins de feuilletage, garnir et servir très chaud.

INGRÉDIENTS

- 800 g (1 ¾ lb) de petits ris de veau
- 1 litre (4 tasses) de court-bouillon (voir p. 112)
- 60 g (¼ tasse) de beurre non salé
- 60 ml (¼ tasse) d'huile
- Sel et poivre du moulin
- 90 g (3 oz) de chanterelles, coupées en dés égaux, lavées et égouttées
- 90 g (3 oz) de champignons de Paris
- 90 g (3 oz) de cèpes
- 90 g (3 oz) de trompettes-de-la-mort
- 375 ml (1 ½ tasse) de porto rouge
- 90 g (½ tasse) d'échalotes, hachées finement
- 175 ml (¾ tasse) de crème 35 %
- 310 ml (1 ½ tasse) de fond brun de veau, lié
- Pâte feuilletée pour les coussins

ÉQUIVALENTS CHAMPIGNONS

Champignons recommandés pour le mélange :
Portobellos
Champignons de Paris
Agarics
Chanterelles
Trompettes-de-la-mort
Russules

ÉQUIVALENTS VIANDES/ABATS

Poulet, dinde, cervelle, pintade, ris d'agneau.

INFORMATION

Le ris est un abat du veau et de l'agneau formé par une glande, le thymus, qui disparaît à l'âge adulte. C'est un mets de luxe, vu sa rareté et sa qualité et, selon le dictionnaire *Littré*, « c'est un manger délicat ».

Côtes de porc poêlées, champignons de Paris à la crème et aux cornichons

- 4 côtes de porc avec os de 210 g (7 oz) chacune
- Sel et poivre du moulin
- Farine
- 60 ml (¼ tasse) d'huile de cuisson
- 60 g (¼ tasse) de beurre non salé
- 160 ml (⅔ tasse) de vin blanc
- 90 g (½ tasse) d'échalotes, hachées finement
- 600 g (1 ¼ lb) de champignons de Paris, lavés, pelés et émincés finement
- 140 g (1 tasse) de cornichons sûrs, émincés finement
- 175 ml (¾ tasse) de crème 35 %
- 175 ml (¾ tasse) de fond brun de veau, lié (voir p. 112)
- 37 g (1 ¼ tasse) d'estragon, haché
- 460 g (4 ½ tasses) de coquillettes* cuites

* Petites pâtes alimentaires que l'on trouve au Québec.

- Saler, poivrer et fariner les côtes de porc.

- Dans une poêle à fond épais, chauffer l'huile et le beurre puis colorer les côtes de chaque côté. Réduire la chaleur pour atteindre (160° F) 70 °C à cœur. Retirer de la poêle et conserver au chaud à l'entrée du four.

- Extraire le gras de cuisson puis déglacer avec le vin blanc et les échalotes, réduire à sec puis ajouter les champignons, les cornichons, la crème réduite de moitié et le fond de veau. Laisser mijoter quelques minutes. Incorporer l'estragon et rectifier l'assaisonnement.

- Disposer les côtes de porc dans les assiettes et napper de sauce. Servir avec des coquillettes cuites à l'eau salée.

ÉQUIVALENTS CHAMPIGNONS

Agarics
Cèpes
Mousserons
Coprins chevelus
Pieds-de-mouton

ÉQUIVALENTS VIANDES/VOLAILLES

Veau, poulet,
pintade, dinde.

INFORMATION

Ne pas trop cuire le porc. Des recherches ont démontré que, grâce aux méthodes d'élevage actuelles, il peut être consommé sans aucun problème à 70° C (160° F) à cœur.

Rouelles de jarret de veau braisées
aux endives et aux champignons

4 portions · Difficulté : 3 · Préparation : 45 min · Cuisson : 1 h 30

- Choisir une cocotte à fond épais avec couvercle allant au four.

- Saler, poivrer et fariner les rouelles.

- Chauffer l'huile très chaude et saisir les rouelles de chaque côté afin qu'elles prennent une belle coloration. Retirer et réserver.

- Dans la même cocotte, faire revenir les petits lardons, les oignons. Extraire le gras de cuisson, remettre les rouelles, ajouter le vin blanc et réduire de 90 %. Ranger les endives entre les rouelles, puis mouiller avec le fond de veau blanc, ajouter les gousses d'ail, le bouquet garni, le clou de girofle, les baies de genièvre et les champignons.

- Saler et poivrer. Couvrir et cuire au four à 180 °C (350 °F) jusqu'à ce que les endives et les rouelles soient bien cuites.

- Goûter, rectifier l'assaisonnement et servir dans assiettes creuses très chaudes. Accompagner de petites pommes de terre rattes cuites à l'eau salée.

- 12 petites rouelles de jarret de veau de 90 g (3 oz) chacune
- Sel et poivre du moulin
- Farine
- 80 ml ($\frac{1}{3}$ tasse) d'huile d'arachide
- 120 g (4 oz) de petits lardons
- 12 oignons cipollinis, pelés
- 375 ml (1 $\frac{1}{2}$ tasse) de vin blanc
- 8 petites endives, sans les pédoncules
- 410 ml (1 $\frac{2}{3}$ tasse) de fond blanc de veau (voir p. 112)
- 4 gousses d'ail
- 1 bouquet garni
- 1 clou de girofle
- 4 baies de genièvre
- 300 g (10 oz) de pieds-de-mouton, lavés et égouttés
- 8 pommes de terre rattes

INFORMATION

Rouelle : épaisse tranche de forme ronde taillée dans le cuisseau de veau ou dans le jarret (osso buco).

ÉQUIVALENTS VIANDES

Jarret d'agneau,
jarret de chevreuil,
rouelles de jarret de caribou,
ou d'orignal.

- 240 g (8 oz) de petits cubes d'épaule d'agneau
- Sel et poivre du moulin
- 60 ml (¼ tasse) d'huile de cuisson
- 16 petits bolets
- 80 g (⅓ tasse) de beurre non salé
- 3 tranches de jambon, hachées finement
- 60 g (⅔ tasse) d'oignons, hachés finement
- 3 c. à café (3 c. à thé) d'ail, haché finement
- 400 g (14 oz) de farce d'agneau
- 80 g (⅔ tasse) de noisettes, grillées et hachées
- 30 g (1 tasse) de persil, haché
- 400 g (14 oz) de pâte brisée
- 80 ml (⅓ tasse) de glace d'agneau (voir p. 113)
- 210 g (7 oz) d'épaule d'agneau avec gras
- 90 g (3 oz) de foie d'agneau
- 2 tranches de pain
- 60 ml (¼ tasse) de crème 35 %
- 2 œufs
- 40 g (¼ tasse) de fécule de maïs ou de pomme de terre
- 20 g (⅔ tasse) de persil, haché
- 3 c. à soupe de cognac
- Sel et poivre du moulin

ÉQUIVALENTS CHAMPIGNONS

Morilles, champignons de couche, pleurotes, portobellos, russules des marais, marasmes des oréades.

ÉQUIVALENTS VIANDES/VOLAILLES

Poulet, cubes de veau ou de chevreuil, orignal, caribou, poitrine de perdrix, faisan, tétras, lagopède.

PRÉPARATION

- Saler et poivrer l'agneau.

- Dans une poêle à fond épais très chaude, chauffer l'huile et saisir l'agneau.

- Retirer la cuticule visqueuse du chapeau des bolets. Détacher les pieds. Poser les chapeaux sur un gril et les passer légèrement au four afin de leur faire rendre leur eau.

- Hacher finement les pieds des bolets.

- Dans une poêle, chauffer 60 g (¼ tasse) de beurre et saisir les pieds de bolets, le jambon, les oignons et l'ail. Saler et poivrer. Laisser refroidir, puis incorporer à la farce, ajouter les noisettes, le persil et les chapeaux de bolets grillés.

- Étendre la pâte brisée, foncer le moule à tourte, en prenant soin de l'avoir beurré à l'aide d'un pinceau. Garnir avec la farce tout en pressant. Recouvrir d'une autre abaisse de pâte et faire un trou au milieu qui servira de cheminée, badigeonner avec le beurre restant pour la dorure.

- Cuire au four à 260 °C (500 °F) pendant 7 min, puis réduire la chaleur à 150 °C (300 °F) pour atteindre 74 °C (165 °F) à cœur. Par la cheminée, verser la glace d'agneau chaude. Servir immédiatement.

FARCE

- Faire tremper les deux tranches de pain dans la crème. Passer au hachoir la chair et le foie d'agneau ainsi que pain trempé.

- Mélanger avec les œufs, la fécule de maïs, le persil et le cognac. Saler et poivrer.

Paleron d'agneau braisé, petits légumes
de printemps et agarics des bois

4 portions · Difficulté : 3 · Préparation : 35 min · Cuisson : 40 min à 1 h 30

Le paleron est une partie plate de l'épaule extrêmement goûteuse.

- Dans une cocotte à fond très épais, chauffer l'huile et le beurre. Saler et poivrer le paleron d'agneau et le faire revenir en lui donnant une belle coloration. Extraire l'excédent de gras et déglacer avec le Noilly Prat. Réduire pour laisser évaporer l'alcool, puis l'entourer avec la mirepoix. Cuire au four à 155 °C (310 °F) pendant 1 h ou 1 h 30, selon l'épaisseur.

- Ajouter les petits légumes, le bouquet garni, le fond d'agneau et les agarics. Saler, poivrer et poursuivre la cuisson jusqu'à ce que la viande devienne très tendre à la pointe d'un couteau.

SERVICE

- Mettre la cocotte au centre de la table... à la bonne franquette.

- 1,2 kg (2 ½ lb) de paleron d'agneau
- 60 ml (¼ tasse) d'huile d'arachide
- 60 g (¼ tasse) de beurre non salé
- Sel et poivre
- 175 ml (¾ tasse) de Noilly Prat
- 150 g (1 ½ tasse) de mirepoix, coupée uniformément
- 90 g (3 oz) de petites carottes nouvelles
- 90 g (3 oz) de petits navets ravioles
- 90 g (3 oz) de petites betteraves jaunes
- 210 g (7 oz) de pommes de terre rattes, coupées en deux
- 1 bouquet garni
- 250 ml (1 tasse) de fond d'agneau
- 210 g (7 oz) d'agarics, coupés en deux sur la longueur

INFORMATION

Paleron : partie de l'épaule qui adhère au collier. Cette viande à braiser est très goûteuse.

Cailles farcies aux trompettes-de-la-mort, riz sauvage et cœurs de quenouilles

4 portions · Difficulté : 4 · Préparation : 1 h 20 · Cuisson : 25 min

- 8 cailles moyennes
- Os de cailles
- 60 g (²/₃ tasse) d'oignons, en dés
- 60 g (²/₃ tasse) de carottes, en dés
- 55 g (¹/₂ tasse) de céleri, en dés
- 1 feuille laurier
- 1 brin de thym
- 175 ml (³/₄ tasse) de vin blanc
- 4 tranches de pain, en petits dés
- 175 ml (³/₄ tasse) de crème 35 %
- 3 c. à café (3 c. à thé) romarin moulu
- 3 c. à café (3 c. à thé) de thym séché
- 10 g (¹/₃ tasse) de poudre d'ail
- 360 g (12 oz) de farce de volaille ou de veau du commerce
- Sel et poivre moulu
- 2 œufs
- 60 ml (¹/₄ tasse) de cognac
- 300 g (10 oz) de trompettes-de-la-mort, bien lavées et hachées finement
- 80 ml (¹/₃ tasse) d'huile de cuisson
- 200 g (1 ¹/₄ tasse) de cœurs de quenouilles frais (en mai) ou en conserve
- 150 g (³/₄ tasse) de riz sauvage

ÉQUIVALENTS CHAMPIGNONS
Cèpes, shiitakes, clitocybes, agarics des jachères, chanterelles.

ÉQUIVALENTS VOLAILLES
Poussin, perdrix, tétras, pintade, pigeon, colin de Virginie.

Demander à votre boucher qu'il désosse les cailles par le dos tout en laissant l'os du pilon. Préparer un fond de caille avec les os.

FOND DE CAILLE

- Casser les os, puis les faire colorer dans un sautoir, ajouter les oignons, les carottes, le céleri, la feuille de laurier et le thym. Déglacer avec le vin blanc puis recouvrir d'eau ou de fond de volaille et cuire 30 à 40 min. Passer à la passoire à mailles. Réserver.

FARCE

- Mettre le pain dans un bol, ajouter la crème, le romarin, de thym et la poudre d'ail.

- Après 10 min, passer l'ensemble au hachoir à la grille fine, puis ajouter à la farce de volaille ou de veau du commerce. Peser l'ensemble et incorporer le sel et le poivre à raison de 2 c. à thé (2 c. à café) pour le sel et de 1 c. à café (1 c. à thé) pour le poivre moulu par kilo (2 lb). Incorporer les œufs et le cognac. Ajouter les trompettes-de-la-mort.

- Bien étaler les cailles, saler, poivrer et répartir la farce uniformément. Reformer les cailles comme si elles étaient encore avec leur os et les entourer d'une petite bandelette d'aluminium jusqu'au début des pilons.

- Chauffer l'huile dans un sautoir ou les cailles pourront être serrées et collées les unes aux autres. Saler et poivrer à l'extérieur et saisir au four à 260 °C (500 °F), jusqu'à ce qu'elles prennent une coloration sur les poitrines.

- À ce stade, extraire le gras de cuisson et les bandelettes d'aluminium. Ajouter le fond de caille et poursuivre la cuisson au four à 190 °C (375 °F) pour atteindre 74 °C (165 °F) à cœur. Entourer de cœurs de quenouilles.

- Pendant ce temps, cuire à l'eau salée le riz sauvage. Lorsqu'il sera bien éclaté, rafraîchir et égoutter. Au moment de servir, chauffer au four à micro-ondes.

SERVICE

- Au centre des assiettes, faire un lit de riz sauvage et de quenouilles, puis disposer deux cailles par personne et napper de sauce.

Tournedos de bœuf sautés, glace de bœuf aux truffes et à l'armagnac, fonds d'artichaut aux chanterelles

4 portions · Difficulté : 4 · Préparation : 60 min · Cuisson : 40 min

Je considère que les truffes, les morilles, les cèpes et les chanterelles sont les meilleurs champignons, cependant tout est une question de préférence, certains vous diront que l'amanite des césars est inégalable. Mais la truffe, dans toute l'histoire culinaire, est merveilleuse, son prix d'ailleurs en fait foi. Cette recette est réservée aux grandes occasions.

- Faire macérer les truffes 24 h dans l'armagnac.

- Cuire les artichauts dans beaucoup d'eau salée, en prenant soin de mettre un peu de poids sur le dessus, car ils auront tendance à flotter. Après une trentaine de minutes, essayer de retirer une feuille au milieu de l'artichaut. Si elle s'enlève facilement et que le bas de la feuille est tendre, les artichauts sont cuits. Les rafraîchir. Presser et enlever les feuilles, que vous pourrez déguster ultérieurement. Enlever le foin et conserver au réfrigérateur.

- Dans une poêle à fond épais, chauffer 60 g (¼ tasse) de beurre et l'huile de truffe. Faire sauter les chanterelles jusqu'à complète cuisson. Saler, poivrer et ajouter les lamelles de truffes. Réserver.

QUINZE MINUTES AVANT DE SERVIR

- Dans un récipient allant au four à micro-ondes, mettre les fonds d'artichaut, saler, poivrer et garnir de quelques petites noix de beurre. Réserver.

- Dans un sautoir chauffer 60 g (¼ tasse) de beurre et l'huile de cuisson. Saler et poivrer les tournedos. Les saisir de chaque côté afin d'avoir une cuisson à cœur de 54 °C (130 °F) à point ou de 51 °C (124 °F) saignant. Extraire le gras de cuisson, déglacer avec la macération de truffes à l'armagnac et ajouter la glace brune de bœuf. Rectifier l'assaisonnement, puis monter la sauce avec 60 g (¼ tasse) de beurre.

- Chauffer les cœurs d'artichauts 2 min au four à micro-ondes.

SERVICE

- Mettre les fonds d'artichauts en haut de l'assiette, les farcir avec les chanterelles aux truffes. Disposer le tournedos devant et napper de sauce.

- 4 tournedos de bœuf de 180 g (6 oz) chacun
- 45 g (1 ½ oz) de truffes noires, hachées finement
- 160 ml (⅔ tasse) d'armagnac
- 4 gros artichauts
- Sel de mer
- 180 g (¾ tasse) de beurre non salé
- 60 ml (¼ tasse) d'huile de truffe
- 400 g (14 oz) de chanterelles, nettoyées sans les mouiller
- Sel et poivre du moulin
- 12 lamelles d'une truffe noire
- 60 ml (¼ tasse) d'huile de cuisson
- 250 ml (1 tasse) de glace brune de bœuf

ÉQUIVALENTS CHAMPIGNONS
Truffes blanches
Chanterelles

ÉQUIVALENTS VIANDES/VOLAILLES
Filet de veau, filet de caribou, filet de chevreuil, filet d'orignal, bécasse, perdrix

Rôti de chevreuil, poêlée de champignons et de salsifis, sauce Grand Veneur aux petits fruits

- 1 rôti de chevreuil de 1 à 1,2 kg (2,2 à 2,6 lb)
- 90 g (3 oz) de pleurotes, nettoyés et coupés en quatre sur la longueur
- 90 g (3 oz) de pieds-de-mouton, nettoyés et coupés en quatre sur la longueur
- 90 g (3 oz) de russules orangées, nettoyées et coupées en quatre sur la longueur
- 90 g (3 oz) de chanterelles, nettoyées et coupées en quatre sur la longueur
- Sel et poivre du moulin
- 60 ml (¼ tasse) d'huile de cuisson
- 120 g (½ tasse) de beurre non salé
- 200 g (2 tasses) de mirepoix de 3 x 3 mm (⅛ x ⅛ po)
- 1 brin de thym
- 1 feuille de laurier
- 400 g (4 tasses) de salsifis frais, cuits ou en conserve
- 45 g (1 tasse) de ciboulette, ciselée
- 310 ml (1 ¼ tasse) de sauce Grand Veneur (voir p. 114)
- 40 g (⅓ tasse) de groseilles
- 40 g (⅓ tasse) de bleuets
- 40 g (⅓ tasse) d'airelles, de canneberges ou d'atocas

Il est important de choisir la partie la plus tendre de la cuisse de chevreuil, c'est-à-dire la partie intérieure, que l'on appelle « noix » chez le veau.

Un accord sublime entre le gibier, les champignons et les petits fruits !

- Après avoir coupé les champignons, les conserver au réfrigérateur.
- Bien ficeler le rôti de chevreuil. Saler et poivrer. Choisir une cocotte à fond épais allant au four. Chauffer l'huile et 60 g (¼ tasse) de beurre et saisir le rôti sur toutes les faces.
- Mettre au four à 200 °C (400 °F) pendant 10 min. Ajouter la mirepoix, le thym et la feuille de laurier. Remettre au four en arrosant de temps en temps pour que le rôti atteigne 50 °C (120 °F) à cœur. Le retirer et le conserver au chaud à l'entrée du four à 70 °C (160 °F). Ajouter les champignons à la mirepoix. Saler et poivrer. Cuire jusqu'à complète évaporation des liquides. Conserver au chaud.
- Dans une poêle à fond épais, chauffer le beurre restant et faire sauter les salsifis, ajouter la ciboulette et réserver.
- Chauffer la sauce Grand Veneur, ajouter les groseilles, les bleuets et les airelles. Votre sauce ne doit pas atteindre 100 °C (200 °F) afin que les petits fruits n'éclatent pas.

SERVICE

- Répartir dans chaque assiette les champignons et les salsifis. Au fond des assiettes verser la sauce Grand Veneur, puis couper de belles tranches de rôti de chevreuil.

ÉQUIVALENTS VIANDES
Caribou, orignal, veau, porc, bœuf, agneau.

DESSERT
Glace aux cèpes de la Mycoboutique

4 à 6 portions · Difficulté : 2 · Préparation : 55 min · Cuisson : aucune

La Mycoboutique est située sur la rue Rachel, au cœur du Plateau Mont-Royal à Montréal. Cette boutique spécialisée dans les champignons mérite que vous vous y arrêtiez un jour si vous passez par là.

CRÈME ANGLAISE

- Faire tremper les cèpes séchés 30 min dans l'eau tiède. Éponger.

- Dans une casserole, chauffer le lait, la crème et l'extrait de cèpes.

- Fouetter énergiquement le sucre et les jaunes d'œufs. Incorporer ce mélange à la casserole. Cuire la crème anglaise 10 min environ.

- Chauffer le beurre et faire sauter les cèpes puis les hacher. Mettre les cèpes dans la crème anglaise et laisser mariner toute une nuit.

- Battre les blancs d'œufs en neige et incorporer délicatement au mélange.

- Verser le tout dans une sorbetière et turbiner 15 min. Mettre la préparation dans des contenants de la taille voulue avant de congeler.

PRÉPARATION

- 15 g (½ oz) de cèpes séchés
- 500 ml (2 tasses) de lait
- 500 ml (2 tasses) de crème 35 %
- 15 gouttes d'extrait de cèpes
- 75 g (⅓ tasse) de sucre
- 10 jaunes d'œufs
- 2 c. à soupe de beurre
- 2 blancs d'œufs

Au sujet des champignons

LES FAMILLES DE CHAMPIGNONS

LES MORILLES

Peut-être serai-je brusque pour les amoureux de la truffe, mais, pour moi, les morilles sont les champignons qui, sur le plan culinaire, sont les plus savoureux et les plus odorants. Ces merveilles de la nature nous permettent de concocter des mets divins. Malheureusement, les morilles sont si rares que ceux qui en découvrent les gardent jalousement pour eux. Peut-on les blâmer? En crème, avec du poisson, de la volaille, du gibier, ce roi des champignons exige l'excellence.

LES TRUFFES

Ces diamants noirs sont différents de tous les autres champignons. Comme ils se développent dans la terre, sous la surface du sol, ils sont difficiles à trouver. D'où leur prix élevé. L'odeur de la truffe est puissante et incomparable, sa forme est unique, et sa chair, qu'on nomme gléba, passe progressivement de la couleur blanche (les très jeunes truffes) au noir violacé à maturité (truffe du Périgord). Crue ou cuite, la truffe est synonyme d'aventure gastronomique.

LES BOLETS

La surprise des odeurs

Le bolet bicolore (*Boletus bicolor*), excellent, possède une odeur rare chez les champignons de qualité supérieure:

un parfum de camembert (*Penicillium camemberti* ou *P. roqueforti*). Quant au bolet royal (*Boletus regius*), lui aussi excellent, il exhale des odeurs fruitées de noisette. Le bolet scabre couleur de cuir (*Leccinum testaceoscabrum*), comme beaucoup d'autres espèces, dont les amanites et les russules, dégage des odeurs où domine la pomme. D'autres bolets, tous comestibles mais avec des variantes sur le plan culinaire, ont des arômes intéressants. Je vous les décris afin que vous ayez envie de les découvrir.

Bolet dépoli (*Boletus impolitus*): odeur fruitée de bonbons anglais.

Cèpe des pins ou bolet granuleux (*Boletus granulatus*): odeur de camphre.

Bolet élégant (*Suillus grevillei*): odeur de verdure, de feuilles de géranium.

Bolet jonquille (*Boletus junquilleus*): odeur mentholée.

Bolet vergeté ou moucheté (*Boletus variegatus*): odeur de chlore.

Bolet poivré (*Chalciporus piperatus*): odeur poivrée.

Bolet odorant (*Boletus fragrans*): odeur fruitée de coumarine.

Bolet rose pourpre (*Boletus rhodopurpureus*): odeur fruitée, acide.

Les bolets font partie d'une des familles de champignons les plus recherchées pour la dégustation culinaire. Ils sont

tous pourvus d'un chapeau et d'un pied. Le dessous du chapeau est généralement formé d'une couche de tubes à la texture spongieuse. Ceux-ci se terminent par de petites ouvertures nommées «pores».

On compte une centaine d'espèces de bolets au Québec; une trentaine d'espèces sont assez communes. J'ai choisi pour la cuisine les treize meilleurs bolets. En principe, les bolets sont tous comestibles, mais il faut se méfier des bolets à pores rouges qui peuvent être indigestes, voire légèrement toxiques pour certaines personnes. Quelques-uns sont à rejeter, soit à cause de leur amertume (*Tylopilus felleus*, le bolet amer), soit à cause de leur âcreté (*Xerocomus piperatus*). Tous les autres sont bons, mais à des degrés divers. Les meilleurs sont évidemment les cèpes (*Boletus edulis* et ses variétés *aereus, pinicola*), puis les bolets rudes (*Leccinum scabrum, L. aurantiacum, L. testaceoscabrum, L. holopus, L. albellum*). Cependant, les bolets comportent un inconvénient: la plupart noircissent à la cuisson, quand on les coupe.

Les bolets gluants sont acceptables, à la condition d'enlever leur pellicule visqueuse (*Suillus granulatus, S. bovinus, S. americanus, S. elegans* et *S. grevillei*).

LES CHANTERELLES

Quelle saveur! Les champignons de cette famille servent aussi dans la grande cuisine.

À maturité, on les reconnaît à leur chapeau en forme d'entonnoir et à leur surface fertile formée de plis espacés, épais, plus ou moins fourchus et nettement décurrents. Les odeurs des chanterelles peuvent être surprenantes.

La chanterelle commune (girolle) sent la prune mirabelle, alors que la chanterelle jaunissante sent la quetsche (prune). Quoi qu'il en soit, tous ces champignons feront le régal de vos convives.

ARMILLAIRES, TRICHOLOMES, CLITOCYBES, ENTOLOMES

Ces familles comprennent différentes espèces de champignons dont le goût peut varier. Un seul se distingue : le tricholome à grand voile (*Tricholoma magnivelare*), qu'on retrouve en abondance en Abitibi et même à la baie James. Certains champignons dégagent des odeurs de farine, d'autres de prune, de menthol, de cannelle, de goudron, de caoutchouc brûlé, de concombre. Il est donc important de choisir ses champignons en fonction des plats qu'on souhaite cuisiner.

RUSSULES, LACTAIRES, HYDNES, COPRINS, AMANITES

Les amanites font souvent peur, mais, pour les cueilleurs avertis, l'amanite des Césars compte parmi les meilleurs champignons. L'hydne ombiliqué, le coprin chevelu, le lactaire hygrophore et le lactaire sanguin sont aussi d'un grand intérêt culinaire, mais il faut bien respecter les méthodes de cuisson.

Si vous n'avez pas la chance de récolter ces quelques têtes d'affiche, il existe d'autres bons champignons.

CLAVAIRES, VESSES-DE-LOUP, PHOLIOTES, HYGROPHORES, AGARICS, PSALLIOTES

Toutes ces familles de champignons ont leurs particularités, de la vesse-de-loup géante (qui peut nourrir une tablée), jusqu'au champignon cultivé le plus connu (psalliote des trottoirs, ou champignon de couche). Par ailleurs, les hygrophores, ces champignons aux couleurs flamboyantes, éveilleront inévitablement votre curiosité.

LA CONSERVATION DES CHAMPIGNONS

COMMENT CONSERVER DES BOLETS À L'HUILE

Bien essuyer les champignons. Retirer les pieds et mettre les chapeaux au four à 80 °C (180 °F) pendant une dizaine de minutes. Essuyer les chapeaux avec un linge fin et les faire dorer à l'huile bouillante dans une poêle.

Lorsque les chapeaux sont dorés des deux côtés, les égoutter sur des papiers essuie-tout puis les mettre dans un bocal de verre fermant hermétiquement en les pressant bien. Faire chauffer de l'huile d'olive avec une feuille de laurier et quelques grains de poivre et remplir les pots jusqu'à complète immersion.

Stériliser les bocaux d'un litre pendant 60 min et les bocaux de 500 ml pendant 50 min.

Ces champignons servent à faire des recettes chaudes.

LES CHANTERELLES

Bien nettoyer les chanterelles. Les couper en deux dans le sens de la longueur. Envelopper les champignons dans un coton à fromage et les blanchir 5 min. Rafraîchir, égoutter, éponger.

Mettre les chanterelles dans des bocaux fermant hermétiquement, puis chauffer de l'huile d'olive et remplir les pots jusqu'à immersion. Stériliser 15 min.

CONSERVER LES CHAMPIGNONS À L'HUILE ET AUX AROMATES

Choisir des champignons très fermes et charnus – cèpes, bolets, vesses-de-loup, agarics. On peut éventuellement les émincer à 8 mm (⅓ po).

Faire blanchir les champignons à l'eau bouillante salée de 2 à 3 min. Égoutter, éponger.

Faire bouillir pendant 15 min un mélange de ⅓ de vinaigre de vin blanc et de ⅔ d'eau avec 20 petits oignons de semence, 4 gousses d'ail, 2 feuilles de laurier, 1 branche de thym, 1 c. à café (1 c. à thé) de romarin, 30 grains de poivre noir et un peu de sel de mer. Ensuite, ajouter les champignons et cuire encore 15 min. Égoutter de nouveau et

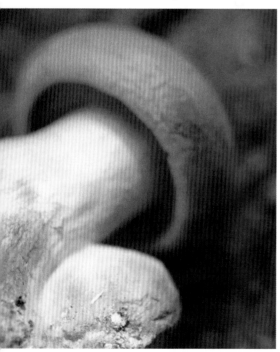

éponger dans un linge pendant au moins 4 heures.

Disposer les champignons dans un bocal, opaque de préférence. Verser le liquide de cuisson et couvrir d'huile d'olive. Fermer hermétiquement et ranger au frais. Servir en hors-d'œuvre avec de la viande ou de la volaille froide.

LES CHAMPIGNONS SÉCHÉS

En principe, toutes les espèces de champignons peuvent être séchées, mais le résultat n'est pas toujours satisfaisant sur le plan culinaire. Par exemple, la chanterelle se dessèche fort bien, mais elle reste coriace, même une fois bien ramollie. De plus, l'opération de séchage est longue et nombre d'espèces ne méritent pas ces efforts.

Par ailleurs, si la dessiccation concentre l'arôme du marasme d'Oréade, du tricholome de la Saint-Georges et de la clitopile petite prune, elle affaiblit et même efface le goût de beaucoup d'autres champignons.

Il n'existe que très peu d'espèces qui conviennent au séchage, mais mentionnons les suivantes: les bolets, les cèpes des pins, les chanterelles, les trompettes-de-la-mort, les fausses cornes d'abondance, les hydnes sinués, les psalliotes, les morilles et les helvelles.

Pour obtenir de bons résultats, il est indispensable de cueillir les champignons par temps sec, afin qu'ils

ne soient pas gorgés d'eau. Il est préférable de récolter des spécimens jeunes et parfaitement sains. Que ce soit au soleil ou au four, l'opération de dessiccation doit être menée rapidement.

DESSICCATION DES ESPÈCES CHARNUES

Éplucher les champignons et les couper en tranches de 0,5 cm (¼ po). Les envelopper dans un coton à fromage et les plonger pendant 5 min dans une casserole d'eau bouillante salée et vinaigrée (3 c. à café/3 c. à thé) de sel et 250 ml (1 tasse) de vinaigre de vin blanc par litre (2 tasses) d'eau. Égoutter et essorer dans un linge.

Disposer les champignons sur une clayette et les exposer au soleil. Ou les mettre sur la grille à l'entrée du four à 50 °C (120 °F). Il suffit de retourner les champignons jusqu'à leur complète déshydratation. Les conserver dans des bocaux opaques et hermétiques.

Il existe dans le commerce des appareils à dessiccation.

POUDRE DE CHAMPIGNONS

Les champignons doivent être très secs. Lorsqu'ils sont cassants, ils ne contiennent plus aucune trace d'humidité, donc vous pouvez les réduire en poudre. Pour ce faire, l'appareil tout indiqué est le moulin à café.

LA CLASSIFICATION DES CHAMPIGNONS DE CUEILLETTE

PREMIER CHOIX	DEUXIÈME CHOIX	TROISIÈME CHOIX	QUATRIÈME CHOIX	CINQUIÈME CHOIX
Amanite des Césars	Agaric champêtre	Amanite de Jackson	Amanite engainée	Chanterelle à flocons
Bolet comestible	Agaric des bois	Amanite fauve	Armillaire commun	Cortinaire violet
(bordeaux)	Agaric des jachères	Armillaire de miel	Bolet à pied jaune	Laccaire bicolore
Chanterelle commune	Amanite rougissante	Armillaire sans anneau	Bolet blafard	Oreille de lièvre
Morille blonde	Bolet bai	Bolet à pied	Bolet châtain	Tricholome à large
Morille conique	Bolet bicolore	glabrescent	Bolet granuleux	feuille
Tricholome à grand	Bolet bleuissant	Bolet à pied orné	Bolet jaune	Xérule furfuracé
voile	Bolet couvert de boue	Bolet des épinettes	Bolet orangé	
Tricholome de la	Cèpe des pins	Bolet du mélèze	Bolet peint	
Saint-Georges	Chanterelle	Chanterelle couleur	Bolet pomme de pin	
Truffe	jaunissante	de flamme	Clavaire de Zollinger	
	Clitopile petite prune	Chanterelle en tube	Clitocybe améthyste	
	Coprin chevelu	Hygrophore de	Clitocybe géotrupe	
	Fausse corne	l'office	Clitocybe laqué	
	d'abondance	Hygrophore de mars	Clitocybe nébuleux	
	Hydne sinué	Hygrophore rouge	Clitocybe omboné	
	Lactaire hygrophore	Lactaire couleur	Cortinaire	
	Lactaire sanguin	de suie	remarquable	
	Morille vulgaire	Lactaire délicieux	Fistuline hépatique	
	Morillon	Lactaire du thuya	Guépinie en helvelle	
	Pholiote du peuplier	Lactaire indigo	Helvelle crépue	
	Pleurote du panicaut	Lépiote élevée (jeune)	Hygrophore des prés	
	Psalliote des bois	Marasme d'Oréade	Lépiote déguenillée	
	Psalliote des forêts	Pleurote corne	Lépiote pudique	
	Psalliote des trottoirs	d'abondance	Oreille-de-Judas	
	Russule verdoyante	Pleurote en forme	Pézize orangée	
	Tricholome équestre	d'huître	Pholiote ridée	
	Tricholome nu	Psalliote champêtre	Polypore en ombelle	
	Tricholome	Russule de Peck	Polypore en touffe	
	prétentieux	Tricholome panéole	Russule charbonnière	
	Trompette-de-la-mort	Verpe de Bohème	Sparassis crépu	
		Vesse-de-loup géante		
		Vesse-de-loup perlée		

Bouillons et recettes de base

COURT-BOUILLON

Le court-bouillon est peu utilisé. Cependant, c'est un élément aromatique de haute qualité pour les poissons (petites ou grosses pièces).

2,5 litres (10 tasses) d'eau
125 ml (½ tasse) de vin blanc
125 ml (½ tasse) de vinaigre blanc de qualité
2 c. à soupe de gros sel
300 g (2 tasses) d'oignons blancs, en fines rondelles
300 g (2 ⅓ tasses) de carottes, en fines rondelles
1 bouquet garni
10 grains de poivre noir

• Dans une grande casserole, réunir tous les ingrédients et laisser mijoter jusqu'à ce que les carottes et les oignons soient tendres.
• Si on utilise le court-bouillon immédiatement, conserver les légumes qui serviront de garniture aux poissons, aux mollusques ou aux crustacés, sinon, passer le court-bouillon au chinois étamine ou à la passoire à mailles fines.

FOND BLANC DE VEAU

Se référer à la recette de Fond blanc de volaille. Remplacer les os de poulet par des os de veau.

FOND BLANC DE VOLAILLE

2 kg (4 ½ lb) d'os de volaille
300 g (3 tasses) de carottes, en mirepoix
200 g (2 tasses) d'oignons, en mirepoix
100 g (1 tasse) de blanc de poireau, en mirepoix
110 g (1 tasse) de céleri, en mirepoix moyenne
3 gousses d'ail, hachées
1 clou de girofle
Poivre noir
1 bouquet garni de 20 tiges de persil, 1 brin de thym et de ½ feuille de laurier

• Faire tremper les os de poulet sous un plat dans l'eau courante.
• Ajouter les légumes, l'ail et les assaisonnements dans une marmite avec les os dégorgés. Mouiller à hauteur et porter à ébullition. Écumer si nécessaire.
• Laisser mijoter pendant 45 min si ce sont des os de poulet.
• Passer au chinois étamine ou dans une passoire à mailles fines et réduire si le goût n'est pas suffisamment prononcé.

NOTE: Cette recette peut se faire avec différentes volailles. Le principe de base est toujours le même. Si on utilise la poule ou le coq, faire bouillir les volailles entières, car comme la cuisson est longue, on ira chercher les saveurs plus spécifiquement. Si on utilise des os de poulet, bien les faire dégorger pour enlever les impuretés (sang).

FOND BRUN DE VEAU OU D'AGNEAU

Le fond brun de veau était très utilisé aux XVIᵉ, XVIIᵉ et XVIIIᵉ siècles avec les poissons, les mollusques et les crustacés. Souvent, c'est un heureux mariage entre les deux éléments. Les fonds peuvent être faits l'hiver et congelés pour être utilisés plus tard. Lorsqu'ils cuisent, ils dégagent de très bonnes odeurs et procurent de l'humidité dans la maison.

Graisse végétale
10 kg (22 lb) d'os de veau ou d'agneau, de préférence les genoux, coupés en petits dés par le boucher
Huile végétale
1 kg (2 ¼ lb) d'oignons, en grosse mirepoix
1 kg (2 ¼ lb) de carottes, en grosse mirepoix
480 g (1 lb) de branches de céleri, coupées en morceaux de 5 cm (2 po)
2 têtes d'ail en chemise
1 feuille de laurier
2 pincées de brins de thym
200 g (6 ½ tasses) de persil
25 grains de poivre noir
200 g (7 oz) de pâte de tomates, cuite

• Faire chauffer la graisse végétale dans une plaque à rôtir, au four à 200 °C (400 °F). Lorsqu'elle est bien chaude, disposer les os de veau et les laisser rôtir jusqu'à ce qu'ils dorent de tous côtés, étape très importante, car ce sont ces sucs rôtis qui donneront une belle coloration au fond de veau.

• Pendant ce temps, dans une casserole suffisamment grande, faire suer tous les légumes dans de l'huile végétale chaude, ajouter l'ail, les assaisonnements et le concentré de tomate, puis faire cuire le tout.

• Lorsque ces deux opérations seront terminées, réunir les deux éléments dans une marmite assez grande ; les couvrir d'eau complètement et laisser mijoter pendant au moins 6 h.

• Par réduction, donc par concentration des sucs, on obtient de la sauce demi-glace et, plus réduit encore, de la glace de veau.

• Ce fond de veau n'est pas lié. Avec du roux blanc, on obtient un fond brun lié.

FOND BRUN DE VOLAILLE

Dans certaines recettes, nous avons besoin de fond brun de volaille. Pour le faire, les ingrédients sont les mêmes que pour le fond blanc de volaille, mais la méthode est légèrement différente.

• Avec un couperet, bien concasser les os, les faire revenir au four dans une plaque avec un peu d'huile, jusqu'à ce qu'ils prennent une belle couleur dorée.

• Parallèlement, faire suer les légumes dans l'huile. Puis réunir tous les ingrédients dans une grande casserole.

• Mouiller à hauteur et cuire de 45 à 60 min. Si le fond n'est pas assez coloré, on peut ajouter un peu de concentré de tomate. Passer ensuite au chinois étamine ou passoire à mailles fines.

FUMET DE POISSON

1 ½ c. à soupe de beurre
800 g (1 ¾ lb) d'arêtes et de parures de poisson (de préférence de poissons plats)
75 g (¾ tasse) d'oignons, émincés
125 g (1 ¼ tasse) de poireau, émincé
125 g (1 ¼ tasse) de céleri, émincé
6 c. à soupe d'échalotes, émincées
150 g (2 ½ tasses) de champignons, émincés
125 ml (½ tasse) de vin blanc sec
4 c. à café (4 c. à thé) de jus de citron frais pressé
1 litre (4 tasses) d'eau froide
1 pincée de thym
½ feuille de laurier
10 grains de poivre

• Faire chauffer le beurre dans une casserole, ajouter les arêtes, les parures de poisson et tous les légumes. Faire suer le tout pendant 4 à 5 min. Mouiller avec le vin, le jus de citron et l'eau froide, ajouter le thym, le laurier et le poivre.

• Porter à ébullition et laisser mijoter pendant 25 min. Passer à l'étamine, laisser refroidir et réserver pour un usage ultérieur.

NOTE : Ce fumet se conserve au congélateur pendant une durée maximale de 2 à 3 mois. Éviter d'utiliser des carottes dans la préparation du fumet de poisson, car elles donnent généralement un goût sucré au bouillon. Ne jamais saler un fumet de poisson, car on doit quelquefois le faire réduire pour obtenir un «concentré» de poisson.

GLACES

Les glaces sont des concentrations de saveurs, qui servent à bonifier les sauces. C'est par réduction d'un fond à 95 % que l'on obtiendra des glaces, que ce soit de volaille, de veau, d'agneau ou de poisson. Par exemple, si on utilise un fond de volaille en quantité de 5 litres (20 tasses), on devra le cuire de 40 à 60 min, le passer au chinois étamine ou dans une passoire à mailles fines, puis le réduire de 90 à 95 %. Il ne nous restera donc que 250 à 500 ml (1 à 2 tasses) de liquide, ce qui donne une glace très concentrée. Si on réduit moins et qu'on garde par exemple 1 litre (4 tasses) de liquide, la glace aura moins de saveur. Une fois la réduction faite, verser cette réduction dans des bacs à glaçons, puis congeler. Démouler et conserver dans un petit sac. Lorsqu'une sauce manque de saveur, ajouter un petit cube de glace.

MAYONNAISE

4 jaunes d'œufs
1 c. à soupe de moutarde de Dijon
Sel et poivre blanc
Vinaigre blanc de qualité
1 litre (4 tasses) d'huile au choix (olive, arachide, canola, maïs, tournesol, noix, noisette, pistache, etc.)

• Au mélangeur ou à l'aide d'un fouet, bien mélanger les jaunes d'œufs, la moutarde, le sel, le poivre et quelques gouttes de vinaigre. Il est important de mettre le sel à ce moment-là pour qu'il puisse fondre.
• Petit à petit, incorporer l'huile. Si le mélange devient trop ferme, ajouter quelques gouttes de vinaigre ou d'eau pour détendre l'ensemble avant de continuer à incorporer l'huile.

ROUX BLANC

480 g (2 tasses) de beurre
480 g (3 ¼ tasses) de farine

• Faire fondre le beurre au four à micro-ondes, ajouter la farine et bien mélanger. Cuire par séquence de 20 sec et bien mélanger entre chaque séquence. Le roux est cuit lorsqu'il commence à mousser.

NOTE : Le roux est un élément de base dans une cuisine familiale ou professionnelle. Pour faire un roux, le four à micro-ondes est idéal. On peut conserver le roux au réfrigérateur au moins un mois et s'en servir au besoin. Le roux est supérieur au beurre manié, car la farine est cuite.

SAUCE GRAND VENEUR

La véritable sauce Grand Veneur se fait avec du sang de gibier. En voici une adaptation. Si toutefois vous avez un gibier tué par balles, ses muscles contiendront inévitablement du sang. Celui-ci aura une incidence sur la sauce à la cuisson.

400 g (14 oz) de marinade de gibier
3 échalotes, émincées finement
1 oignon, émincé finement
6 baies de genièvre
12 grains de poivre noir
8 carottes, en rondelles très fines
1 branche de céleri, émincée finement
Une demi-gousse d'ail
2 feuilles de laurier
10 brins de persil
1 c. à café (1 c. à thé) de thym séché ou 1 brin de thym frais

Sel et poivre
310 ml (1 ¼ tasse) de fond brun de gibier, lié
120 g (½ tasse) de beurre
2 c. à soupe de gelée de groseille
125 ml (½ tasse) de cognac ou d'armagnac

• Faire réduire de 90 % la marinade avec les légumes, les herbes, saler et poivrer puis ajouter le fond de gibier.
• Cuire une dizaine de minutes et passer au chinois. Terminer en ajoutant le beurre, la gelée de groseille et le cognac ou l'armagnac.

SAUCE HOLLANDAISE (MÉTHODE CLASSIQUE)

80 ml (⅓ tasse) de vin blanc
5 c. à soupe d'échalotes, hachées
2 c. à café (2 c. à thé) de vinaigre blanc
4 jaunes d'œufs
180 g (¾ tasse) de beurre doux
Sel et poivre
Le jus d'un demi-citron frais pressé (facultatif)

• Dans une casserole, faire réduire le vin blanc, les échalotes et le vinaigre de 90 %.
• Laisser refroidir cette réduction et ajouter les jaunes d'œufs. Passer la sauce au chinois étamine ou à la passoire à mailles fines.
• Dans une petite casserole, faire fondre le beurre.

- Dans un récipient de forme ronde, cul-de-poule ou grand bol, qu'on peut mettre au chaud, bien mélanger à l'aide d'un fouet la préparation de jaunes d'œufs et de vin blanc. Saler et poivrer.
- Au bain-marie tiède, bien émulsionner ce mélange jusqu'à ce qu'il fasse le ruban (comme une crème fouettée). Cette opération est très importante, car c'est l'émulsion des jaunes d'œufs combinée à l'acide du vin blanc au bain-marie qui assure la réussite de cette sauce.
- Lorsque cette opération est terminée, incorporer le beurre fondu petit à petit. Le mélange doit être onctueux, au besoin ajouter du jus de citron.

NOTE: On utilise toujours du beurre doux en raison de sa plus grande densité en gras.

SAUCE MOUSSELINE

La sauce mousseline est une sauce hollandaise à laquelle on a ajouté de crème fouettée dans une proportion de 20 %.

SUBSTITUTS DE ROUX

On trouve dans le commerce des substituts de liaison pour les fonds et les sauces; il y a d'abord la fécule de maïs, la plus utilisée chez nous. Si on fait la liaison avec la fécule de maïs, il faut servir la sauce immédiatement, sinon, après une vingtaine de minutes, elle relâchera. Ces conditions valent pour toutes les fécules (pommes de terre, riz, arrow-root, châtaignes, etc.). L'avantage des liaisons avec les fécules de riz ou de pomme de terre, c'est qu'elles ne laissent aucune saveur secondaire.

On trouve aussi, dans le commerce, une variété de produits appelés «veloutine» et autres.

VELOUTÉ DE POISSON

500 ml (2 tasses) de fumet de poisson
Roux blanc (voir p. 114)
60 g (¼ tasse) de beurre
160 ml (⅔ tasse) de crème 35 %
Sel et poivre

- Dans une casserole, faire chauffer le fumet de poisson. Ajouter le roux blanc froid petit à petit et cuire 10 min, jusqu'à la consistance désirée. Ajouter le beurre, la crème, saler et poivrer.
- Passer au chinois étamine ou à la passoire à mailles fines.

Bibliographie

DE BROGLIE, Marie-Blanche. *À la table des rois - Histoires et recettes de la cuisine française de François Ier à Napoléon III,* Paris, Le Pré aux Clercs, 1996, 288 p.

FONTENEAU, Suzanne, et Philippe Joly. *60 champignons 190 recettes,* Neuilly-sur-Seine, Dargaud, 1978, 255 p.

GRAPPE, Jean-Paul. *Gibier à poil et à plume - Découper, apprêter et cuisiner,* Montréal, Les Éditions de l'Homme, 2002.

GRAPPE, Jean-Paul. *Basilic, thym, coriandre et autres herbes…,* Montréal, Les Éditions de l'Homme, coll. «Tout un plat!», 2003.

GRAPPE, Jean-Paul. *Petits fruits,* Montréal, Les Éditions de l'Homme, coll. «Tout un plat!», 2005.

LOCQUIN, Marcel. *Les champignons,* Paris, Presses universitaires de France, (coll. «Que sais-je?»), 1959, 124 p.

MAVEN, Hans, et Konrad Lauber. *Champignons,* Petit Atlas Payot, Lausanne, Éditions Payot, 1974, 191 p.

POLESE, Jean-Marie. *Guide des champignons,* Paris, Solar, 1997, 256 p.

POMERLEAU, René. *Flore des champignons au Québec et régions limitrophes,* Montréal, Éditions La Presse, 1980, 652 p.

SICARD, Matthieu, et Yves Lamoureux. *Les champignons sauvages du Québec,* Saint-Laurent, Fides, 2005, 365 p.

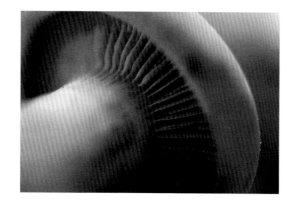

Achevé d'imprimer au Canada
sur les presses de Quebecor World, Saint-Jean